Chères lectrices,

Reposantes, les vaca[...] les préparer, il y a de quoi [...]

Je vous sens dubitati[...] croyez-moi, je sais de quoi je parle : la période qui les précède est bien l'une des plus fatigantes de l'année — un vrai parcours du combattant ! Voyez un peu les épreuves rituelles par lesquelles il nous faut passer :

- épreuve n° 1 : faire la queue à l'agence de voyages dans une ambiance quasi tropicale (parce que la climatisation est en panne) ; rentrer chez soi — en nage — avec des brochures aussi lourdes que des annuaires téléphoniques.

- épreuve n° 2 : feuilleter les milliers de pages desdites brochures, les yeux éblouis d'avoir consulté tant de photos ensoleillées, et se résoudre à choisir parmi des destinations toutes qualifiées de « paradisiaques ». Une très lourde responsabilité !

- épreuve n° 3 : une fois la destination choisie, évaluer notre garde-robe. (Vous ne pensiez pas que les vieilleries de l'été dernier feraient l'affaire, tout de même ?)

- épreuve n° 4 : le shopping, pour pallier le problème susmentionné. Pas facile de faire les magasins en plein mois de mars, entre deux giboulées, ni de se retrouver dans la cabine d'essayage à nous imaginer bronzée et avec trois kilos en moins (que nous aurons perdus d'ici à juillet, c'est sûr).

Bon, la liste est encore longue, mais ai-je besoin d'aller plus loin ? Car, maintenant, vous le savez : les vacances, c'est fait pour se reposer de tout le stress qu'elles nous donnent !

La responsable de collection

A partir du 1er août,
découvrez dans la collection
Azur
la trilogie

Passions australiennes

Du 1er août au 1er octobre, Emma Darcy
vous entraînera dans le cadre âpre et
sauvage de l'Outback australien, sur
les terres des trois frères King. Trois
célibataires au caractère bien trempé...
à qui il ne manque qu'une femme à leur
mesure.

1 ROMAN INÉDIT CHAQUE MOIS

Comme mari et femme

KATHRYN ROSS

Comme mari et femme

COLLECTION AZUR

Si vous achetez ce livre privé de tout ou partie de sa couverture, nous vous signalons qu'il est en vente irrégulière. Il est considéré comme « invendu » et l'éditeur comme l'auteur n'ont reçu aucun paiement pour ce livre « détérioré ».

*Cet ouvrage a été publié en langue anglaise
sous le titre :*
HER DETERMINED HUSBAND

HARLEQUIN®

est une marque déposée du Groupe Harlequin
et Azur ® est une marque déposée d'Harlequin S.A.

*Toute représentation ou reproduction, par quelque procédé que ce soit, constituerait
une contrefaçon sanctionnée par les articles 425 et suivants du Code pénal.*
© 2002, Kathryn Ross. © 2003, Traduction française : Harlequin S.A.
83-85, boulevard Vincent-Auriol, 75013 PARIS — Tél. : 01 42 16 63 63
Service Lectrices — Tél. : 01 45 82 47 47
ISBN 2-280-20217-4 — ISSN 0993-4448

1.

Quand on est en retard à un rendez-vous, les feux sont toujours au rouge et les places de parking introuvables, c'est bien connu. Le comble, c'est de dénicher enfin une place et de se la faire faucher par un mufle ! songea Kirsten en foudroyant du regard le conducteur de la Mercedes décapotable qui venait de lui faire cet affront.

L'homme se retourna et Kirsten eut un choc. C'était son ex-mari, Cal McCormick !

Mais sitôt dépassé la Mercedes, elle fut saisie d'un doute. Non, il ne pouvait s'agir de Cal. Il n'était pas à Hollywood. Pas même aux Etats-Unis. Il se trouvait en Angleterre pour son travail.

Dans le rétroviseur, elle vit l'homme descendre de voiture. Il était grand, brun, de belle allure, mais la distance ne lui permettait pas d'établir s'il s'agissait ou non de Cal.

Oubliant qu'elle avait un déjeuner important avec son agent, Kirsten refit le tour du pâté de maisons afin d'en avoir le cœur net. Mais quand elle se réengagea dans la rue, le fringant propriétaire de la Mercedes avait disparu.

Des beaux mâles, il y en avait beaucoup à Los Angeles, et cet homme n'était pas Cal, voulut se persuader Kirsten. Puis, avisant une place qui se libérait, elle s'y dirigea sans perdre une seconde.

Ce n'était pas la première fois qu'il lui semblait apercevoir ainsi son ex-mari. Cela lui arrivait même assez souvent au tout début de leur séparation, deux ans plus tôt. Pourtant, elle savait pertinemment qu'il ne pouvait s'agir de Cal, puisqu'il se trouvait à des milliers de kilomètres de là, sur un autre continent, avec une autre femme.

Mais c'était de l'histoire ancienne, tout ça. Elle était guérie de Cal McCormick. Et ce n'était pas le moment de s'effondrer ! Désormais, en effet, tout allait bien dans sa vie. Elle avait passé une audition pour un premier rôle dans un film et on l'avait retenue parmi des centaines de candidates. Son contrat était signé, et elle allait justement retrouver pour déjeuner Jack Boyd, son partenaire dans le film ainsi que Gerry Woods, son agent. Un tournant dans son existence. Enfin, son compte en banque allait pouvoir sortir du rouge, et son ex-mari se perdre à jamais dans les limbes de sa mémoire.

D'un rapide coup d'œil dans le rétroviseur, elle vérifia son maquillage puis inspira profondément et sortit de voiture.

Depuis la table où il était assis dans le restaurant, Cal regardait Kirsten se diriger dans sa direction sur le trottoir d'en face. Elle n'avait absolument pas changé. Toujours aussi belle, toujours autant de classe. Elle était habillée d'un tailleur-pantalon blanc, et perchée sur de hauts talons bien qu'elle fût déjà grande. Ses longues boucles blondes ondulaient gracieusement au rythme de sa démarche.

Hollywood avait beau regorger de ravissantes créatures, Kirsten possédait quelque chose de différent. Peut-être le fait que sa beauté était naturelle : ses cheveux étaient naturellement blonds, sa silhouette naturellement mince et féminine, sans qu'elle ait eu recours comme tant d'autres à la chirurgie esthétique ! Ou peut-être était-ce simplement l'intelligence qu'exprimait son regard. En tout cas, son charme lui faisait toujours autant d'effet.

Elle allait entrer dans le restaurant, et Cal reporta vite son attention sur le menu.

Il reconnut immédiatement sa voix lorsqu'elle s'adressa à la réception. Bien que vivant aux Etats-Unis depuis l'âge de onze ans, Kirsten n'avait jamais vraiment perdu son accent anglais. Le timbre mélodieux de la jeune femme réveilla en lui tout un flot de souvenirs…

Un instant après, elle arrivait à sa table, escortée par un serveur.

Cal se leva, et pour la deuxième fois en cette matinée, leurs regards se rencontrèrent. Il lui sourit.

— Bonjour, Kirsten.

— Cal…

C'était peu dire qu'elle était stupéfaite !

— Il doit y avoir erreur, balbutia-t-elle à l'adresse du serveur. J'avais rendez-vous pour déjeuner avec Gerry Woods…

— Il s'agit bien de sa table, l'informa le serveur, l'invitant poliment d'un geste à s'asseoir.

— Gerry a un petit contretemps, précisa Cal. Il ne devrait plus tarder.

Elle était sidérée par la nonchalance qu'affichait son ex-mari. Comme si leur rencontre en ce lieu n'avait rien d'extraordinaire, alors qu'ils ne s'étaient pas vus depuis deux ans ! Ou plus exactement deux ans, un mois et trois semaines, rectifia-t-elle, se maudissant aussitôt de retenir un détail aussi vain.

Mais Cal se rasseyait, et elle-même dut opter : s'asseoir à son tour ou le planter là. Puisque Gerry ne tarderait pas, et qu'elle tenait à connaître le fin mot de l'histoire, elle se résigna à rester.

Elle se retrouva donc installée face à Cal, un menu dans les mains, le cœur battant et incapable d'affronter de nouveau son regard. C'était épouvantable ! Elle se sentait totalement submergée par une émotion aussi intense qu'inexplicable.

Cal prit la carafe et lui servit de l'eau fraîche.

— Alors, Kirsten, comment vas-tu ?

— Bien.

Après un instant, elle demanda :

— Et toi ?

— Moi aussi… comme tu peux voir.

S'il fallait en juger, en effet, par sa mine, Cal était resplendissant. A trente-huit ans, il avait peut-être encore plus de charme qu'autrefois, et toujours cette même expression volontaire sur le visage, cette même noblesse. Quant à ses yeux… Kirsten avait presque oublié à quel point ils étaient bleus.

Elle avait toujours cru que s'ils devaient se revoir, il lui ferait l'effet d'un étranger. C'était loin d'être le cas ! Sa présence avait quelque chose de singulièrement familier, et cette sensation déplaisait à Kirsten. Car cet homme lui avait fait trop de mal.

— Bien, maintenant que nous en avons fini avec les amabilités, veux-tu un apéritif, Kirsten ?

— Cal, que se passe-t-il au juste ? Que fais-tu ici ?

— Comment ? Gerry ne t'a pas dit ?

— Ne m'a pas dit quoi ? demanda-t-elle, saisie d'une appréhension.

— Que nous allons travailler ensemble.

— Pardon ?

— On m'a proposé le premier rôle dans le film pour lequel tu as été engagée.

Devant son incrédulité, il ajouta :

— C'est étrange, en effet. Nous allons être de nouveau mari et femme… mais juste à l'écran, bien sûr.

— Cal, c'est une plaisanterie ? D'après Gerry, c'est Jack Boyd qui devait interpréter le rôle principal.

— Désolé, il y a eu un changement de programme.

Une sorte de vertige s'empara de Kirsten. Sa situation financière était plus que précaire, et elle tenait à ce contrat ! Mais travailler en étroite collaboration avec son ex-mari pour tout le temps que nécessitait la réalisation d'un film… non, c'était au-dessus de ses forces !

Son téléphone portable sonna, la tirant de son hébétude. Elle plongea nerveusement la main dans son sac et en extirpa l'appareil. Le nom « Gerry » s'affichait sur l'écran.

— Bonjour, Gerry. Où êtes-vous ? demanda-t-elle, d'une voix angoissée qui sonnait comme un appel au secours.

— Coincé dans les embouteillages, Kirsten. Désolé.

— Vous ne m'aviez pas prévenu qu'il y avait un changement de partenaire.

— Je l'ignorais jusqu'à ces dernières heures.

Sans pouvoir expliquer pourquoi, elle ne le crut pas.

— C'est formidable, n'est-ce pas ? poursuivait la voix à l'autre bout de la ligne. Quel joli coup pour le studio ! S'offrir un acteur comme Cal, l'un des noms les plus prestigieux d'Hollywood. Commercialement parlant, le film aura un tout autre impact…

Les dents serrées, elle écouta ce concert de louanges, puis déclara, très calme :

— Je regrette, Gerry, mais je ne peux pas travailler dans ces conditions.

— Et pourquoi ça ? demanda-t-il, manifestement surpris.

— Parce que c'est mon ex-mari.

— Vous plaisantez, Kirsten ! Si les acteurs d'Hollywood se mettaient à ne plus vouloir travailler avec ceux ou celles qu'ils ont connus plus ou moins intimement, on n'y tournerait plus le moindre film !

— Ça m'est égal ! répliqua-t-elle, haussant un peu le ton. Je me moque de ce que font les autres…

— Vous avez déjà signé le contrat, rétorqua à son tour Gerry, trahissant une certaine impatience.

— J'ai signé en pensant que j'aurais Jack comme partenaire.

— Pour le studio, ça n'entre pas en ligne de compte. Si vous revenez sur votre engagement, Kirsten, on nous collera un procès, et je vous laisse imaginer ce que ça coûtera ! Surtout à quelques jours du début du tournage.

En dépit du ton ferme de Gerry, elle le sentait affolé — mais ce n'était rien auprès du dépit qu'elle éprouvait. A ses yeux, ce contrat représentait le bout du tunnel, la fin de ses ennuis financiers. Se sentir maintenant prise au piège l'irritait au plus haut point.

— Ecoutez, Kirsten, vous n'avez qu'à déjeuner sans moi et discuter de tout cela avec Cal. C'est un garçon sympathique, et un vrai professionnel. Je suis convaincu que vous trouverez un terrain d'entente. Je rappellerai plus tard.

La communication fut coupée.

— Un problème ? demanda innocemment Cal.

Elle le fusilla du regard. Même s'il n'avait entendu qu'une partie de la conversation, Cal n'était pas assez bête pour ne pas deviner quel était le problème !

— Gerry est coincé dans les embouteillages. Il demande que nous ne l'attendions pas pour déjeuner, dit-elle en s'efforçant de rester calme et courtoise.

En effet, Kirsten ne voulait pas s'aliéner les bonnes grâces de son ex-mari. Car si elle ne pouvait se désengager du film, peut-être pouvait-elle suggérer à Cal d'y renoncer... Après tout, comme le disait si bien Gerry, il était une star à Hollywood et trouverait sans difficulté du travail. Et puis, la perspective d'un film avec elle ne l'enchantait peut-être pas non plus.

Affectant la désinvolture, elle demanda :

— Dis-moi, quand as-tu su que tu allais jouer dans ce film ?

— J'avais eu vent de quelques rumeurs, mais je n'ai appris la nouvelle que ce matin.

— Et es-tu aussi enthousiaste que moi à cette perspective ?

— Il faudrait déjà que je sache quel est ton degré d'enthousiasme, répliqua-t-il sans sourciller.

Elle but une gorgée d'eau pour gagner du temps, et éluda finalement la question.

— Je ne savais même pas que tu étais revenu aux Etats-Unis.

— Je suis rentré depuis un mois. Je loue une maison à Beverly Hills.

— Formidable.

Elle songea au petit appartement qu'elle partageait avec son amie, Chloe. Deux chambres, un salon, et une cuisine tout juste assez grande pour contenir trois personnes à la fois.

Apparemment, Cal n'avait connu que le succès depuis leur divorce, alors que sa propre carrière avait été sérieusement freinée par Robin Chandler, son précédent agent, à qui elle avait confié ses intérêts peu après s'être séparée de Cal. Elle était chanteuse à l'époque, et plusieurs de ses titres marchaient très bien aux Etats-Unis. Chandler lui avait fait miroiter mieux encore : des tournées mondiales, des promotions, mais la réalité avait été tout autre. Il avait raflé tout ce qu'elle gagnait, et par de savantes subtilités juridiques l'avait, de fait, empêchée de poursuivre sa carrière sans continuer de lui remplir les poches.

Tout son argent y était passé, y compris la coquette allocation que lui avait consentie Cal au moment du divorce. Croulant sous les dettes, Kirsten s'était finalement résignée à ne plus chanter en attendant que son contrat avec Chandler arrive à expiration. Il lui avait pourtant fallu trouver un autre moyen de subsistance, et c'est là qu'était intervenu Gerry et que, sur les conseils de celui-ci, elle s'était lancée dans le métier de comédienne.

Kirsten s'étonnait toujours autant d'avoir si bien réussi dans ce domaine. Certes, ses talents de musicienne l'avaient amenée à fréquenter une école de théâtre dans son enfance, mais elle ne pensait pas qu'elle deviendrait actrice.

Jusqu'alors, on ne lui avait confié que des rôles mineurs, qui n'en avaient pas moins contribué à lui forger une certaine renommée. Et maintenant, pour la première fois, on lui proposait un premier rôle féminin ! Outre la satisfaction personnelle qu'il lui procurait, ce contrat marquerait la fin d'une longue période de vaches maigres.

— Comment vont tes parents ? demanda Cal, interrompant ses réflexions.

Cette intrusion dans ce qu'elle estimait être sa vie privée l'irrita un peu. Aussi répondit-elle, laconique :

— Ils vont bien.

Puis elle nuança en ajoutant :

— Enfin, papa n'est pas très en forme depuis quelque temps.

— Ah, bon ? Ce n'est pas trop grave ?

— Je ne sais pas. Il doit passer des examens.

On devait l'hospitaliser dans ce but, en effet, le mercredi suivant. Kirsten voulait ne pas trop se tracasser à l'avance même si, parfois, les pires scénarios lui venaient à l'esprit.

— Ils habitent toujours près de San Francisco ?

— Oui… et papa a toujours son bateau de pêche.

Ils se regardèrent et elle aurait juré qu'il pensait comme elle à cette promenade en bateau qu'ils avaient faite par un bel après-midi d'été, le week-end où elle l'avait présenté à ses parents…

— Transmets-leur mes amitiés la prochaine fois que tu les verras.

Elle ne répondit pas. En fait, elle évitait de mentionner Cal devant ses parents car ils avaient été très chagrinés par leur séparation.

Kristen préféra revenir au sujet qui la préoccupait :

— Alors, qu'allons-nous faire pour le film ?

— Comment ça ? Nous allons le tourner !

— Trêve de plaisanteries, Cal ! Je suis sérieuse.

D'un ton plus conciliant, elle ajouta :

— Pour ma part, je compte effectivement le tourner… mais j'espérais que tu aurais la décence de te désister.

Cette remarque parut le stupéfier.

— Il n'est pas question que je me désiste. J'ai donné ma parole…

— Ecoute, Cal, comme tu l'auras deviné, je ne veux pas travailler avec toi. C'est aussi simple que ça.

— Dans ce cas, tu n'as qu'à te retirer. J'ai déjà signé pour ce film, et j'ai très envie de le faire.

Lui aussi s'était déjà engagé par contrat ! Le cœur de Kirsten chavira… et son sang-froid la lâcha.

— Voyons, Cal, ce film représente une occasion en or pour moi, et tu fais tout pour la saboter !

14

— C'est absurde. Tu devrais me remercier au lieu de vouloir m'écarter. Avec mon nom à l'affiche, le film aura un tout autre succès.

— Toujours aussi modeste !

Il sourit.

— Je dis simplement la vérité, Kirsten. Essaie de voir les choses du bon côté… Qui sait, peut-être recevras-tu un Oscar en travaillant avec moi ?

— La médaille du courage, tu veux dire !

Tandis qu'elle prononçait ces mots, elle vit danser une lueur diabolique dans ses yeux, et Cal lui apparut à cet instant tel que devait le percevoir son public.

Pas étonnant que ses fans soient prêts à attendre des heures devant un cinéma pour le voir. En plus d'être éminemment doué comme acteur, et très séduisant physiquement, Cal possédait un magnétisme que personne, dans le milieu du cinéma, ne songeait à lui contester. N'avait-elle pas succombé, la première, à ce charme foudroyant ?

En fait, du jour où elle avait rencontré Cal McCormick, c'était comme si une folie s'était emparée d'elle. En l'espace de quatre mois, ils étaient mariés… Et onze mois plus tard, ils divorçaient.

Oui, Cal n'avait eu aucun mal à la conquérir.

Aucune femme ne serait restée insensible à ce petit sourire avec lequel il la regardait en ce moment. Il n'avait qu'à être là, être simplement lui-même pour obtenir tout ce qu'il voulait. Mais elle ne retomberait plus dans le panneau !

Elle fit mine d'étudier le menu pour recouvrer son calme ; elle savait par expérience que s'énerver ne menait à rien avec Cal.

De toute façon, il ne lui en laissa pas le temps.

— Comment se fait-il que tu aies délaissé la chanson ? Il y a long-temps que tu n'as pas enregistré de disque.

La question la désarçonna. Elle ne tenait pas à lui avouer comme elle s'était laissé gruger par son précédent agent.

— J'avais envie de changer.

— Je ne pensais pas que tu te lancerais dans le cinéma.

— Moi non plus, admit-elle avec un léger sourire. Mais j'ai changé d'agent, et c'est Gerry qui m'a suggéré de passer une audition pour un petit rôle au théâtre à Broadway. Au départ, la partie était loin d'être gagnée. C'était un véritable défi pour moi.

Ce rôle l'avait véritablement propulsée dans sa nouvelle carrière de comédienne. La pièce avait remporté un énorme succès et la critique avait adoré la prestation de Kirsten. Naturellement, à son retour à Los Angeles, cela lui avait ouvert les portes d'Hollywood.

— Et c'est juste pour cette raison que tu es devenue actrice ? Pour relever un défi ?

La curiosité de Cal l'irrita. Pourquoi toutes ces questions ?

— D'une certaine manière, éluda-t-elle.

Le serveur reparut sur ces entrefaites avec du champagne dans un seau à glace, ainsi que deux flûtes qu'il posa devant eux.

Kirsten fixa suspicieusement la bouteille.

— Du champagne ! En quel honneur ?

— Aucune idée. Ce n'est pas moi qui l'ai commandé, assura Cal.

— De la part de M. Gerry Woods, les informa alors le serveur avec un sourire poli. Dois-je le servir tout de suite, monsieur ?

— Merci, je m'en charge.

Le serveur resta là, attendant manifestement qu'ils passent commande, et après un bref coup d'œil au menu, Kirsten choisit le premier plat sur la liste.

Pourquoi son agent leur offrait-il le champagne ? s'interrogea-t-elle, perplexe. Décidément, la situation lui échappait de plus en plus.

Espérant ne pas trahir le désespoir qu'elle éprouvait soudain, elle prit la parole :

— Ecoute, Cal, je te le demande comme une faveur. Sois gentil, dis au studio que, finalement, tu ne seras pas disponible pour ce film.

— Je regrette, Kirsten, c'est impossible, répondit-il calmement. Je te le répète, j'ai déjà signé le contrat.

Accablée par un sentiment d'impuissance, elle le regarda en silence servir le champagne.

— Note que ton agent est apparemment satisfait de la situation. S'il nous offre le champagne… Il doit savoir que ce n'est pas une si mauvaise affaire pour toi.

— Je n'ai pas besoin de toi pour faire de bonnes affaires, Cal. Je me débrouille parfaitement toute seule.

— Mais oui !

Au ton qu'il employa, Kirsten fut saisie d'un doute. Cal était-il au courant de ses déboires avec Robin Chandler ? Connaissait-il l'étendue des dettes qu'elle devait éponger ? Non, impossible. Elle avait pris soin de n'en rien dire à personne, pas même à ses parents… surtout pas à ses parents ; ils se seraient fait un sang d'encre. Les seuls à être dans le secret étaient Chloe et Jason, ses deux meilleurs amis, en qui elle avait toute confiance.

— Ecoute, Kirsten, reprit Cal avec fermeté, il s'agit de travailler ensemble, c'est tout. Travailler. Je ne vois pas pourquoi nous ne pourrions pas nous donner la réplique dans un film. Franchement, je ne comprends pas que tu me supplies de me désister, complètement affolée, et…

— Je ne m'affole pas ! protesta-t-elle, se redressant sur sa chaise.

— Quel est le problème, alors ?

Pourquoi avait-il le chic pour la déstabiliser ?

— Je te l'ai dit, Cal. Ça me paraît clair. Je ne veux pas t'avoir à proximité, voilà.

— Veux-tu le fond de ma pensée ?

Il se pencha vers elle en posant sa question, ce qui la fit instinctivement reculer.

— A mon avis, Kirsten, tu as peur de moi.

— Et pourquoi aurais-je peur de toi ?

— Je ne sais pas… Peut-être est-ce ma personne qui te trouble.

Dans le fond de ses yeux, il lui sembla voir briller une étincelle moqueuse.

— Tu as toujours eu un humour un peu douteux, Cal. Sache que ta personne ne me trouble pas le moins du monde.

— Ce n'est pas ce que tu disais autrefois…

Sa voix avait une résonance grave, sensuelle, qui la troubla bel et bien ! Aussi se réjouit-elle de voir le serveur revenir avec leurs plats. En son for intérieur, cependant, elle ne put s'empêcher de penser que Cal avait raison. A une époque, il n'avait qu'à la regarder pour allumer invariablement le désir en elle...

Dieu merci, la conversation reprit sur un sujet moins sensible.

— Gerry me fait plutôt bonne impression, remarqua Cal tout en salant copieusement son steak.

— Je suis satisfaite de lui, oui.

— Plus que de cet agent à qui tu t'étais adressée après notre séparation. Comment s'appelait-il déjà... Chandler ?

Une sourde tension s'empara de Kirsten.

— Chandler n'était pas si mal.

— Tu trouves ? J'ai entendu dire que certains se sont mordu les doigts de lui avoir confié leurs intérêts.

Comme elle ne relevait pas, il enchaîna :

— Mais je n'ai pas vraiment d'avis personnel sur le sujet, étant donné que, ces deux dernières années, je n'étais pas aux Etats-Unis.

— Oui, tu n'es pas le mieux placé pour en parler.

— Je persiste à penser que tu aurais dû t'adresser à ce type qui s'occupait de Maeva. Sa carrière marche très fort à présent.

Entendre louer les performances de Maeva était bien la dernière chose que souhaitait Kirsten. La seule mention de ce prénom lui mettait les nerfs à fleur de peau. Et elle ne put s'empêcher de rétorquer :

— C'est logique. Maeva a épousé un grand metteur en scène. Quand on est si bien entourée... En tout cas, je n'aimerais pas avoir à me marier pour assurer mon avenir.

— C'est peut-être que tu n'as jamais eu tellement faim, répondit tranquillement Cal.

— Et c'est le cas de Maeva ?

— Je voulais parler d'appétit de réussite... mais pour répondre à ta question, oui, Maeva a traversé des périodes très difficiles.

18

Une vague de tristesse s'abattit sur Kirsten. Cal prenait la défense de Maeva, il était toujours amoureux d'elle après tout ce temps ! Etrangement, il ne s'était pas lassé d'attendre qu'elle obtienne un improbable divorce. La situation semblait leur convenir à tous les deux ainsi.

Kirsten n'ignorait pas que certains hommes étaient davantage attirés par l'excitation de la conquête, par une liaison clandestine plutôt que par une vraie relation ; mais quel choc cela avait été pour elle de découvrir que l'homme qu'elle avait épousé était de ceux-là !

— Et quel rôle a joué Maeva dans le film que vous venez de tourner en Angleterre ? Celui de la soubrette aux mœurs légères ou de la femme entretenue ?

— Tu n'as pas perdu ton sens de l'humour, je vois.

Il lui resservit du champagne, puis demanda :

— Pourquoi es-tu encore si en colère contre moi, Kirsten ? C'est toi qui as demandé le divorce, je te rappelle, pas moi.

Est-ce qu'il plaisantait ? voulut-elle lui hurler à la figure. Le divorce n'avait été que la suite logique, inéluctable, des événements ! Bien sûr, elle l'avait demandé. Quel autre choix s'offrait-il à elle ?

— Je ne suis pas en colère, répondit-elle, glaciale.

Elle but un peu de champagne et, bizarrement, il lui laissa un arrière-goût amer dans la bouche.

— Tu sais, Kirsten, nous avons été mis à bien rude épreuve tous les deux, il y a deux ans. Je ne pense pas que toi ou moi avions un jugement très sensé, dit-il d'une voix très douce qui émut Kirsten. Aucun couple ne devrait jamais connaître ce que nous avons vécu, murmura-t-il.

Kirsten sentit ses oreilles bourdonner. Elle regarda fixement les motifs de la nappe, dressant mentalement un rempart entre Cal et elle. S'il continuait, s'il en venait à rappeler cet événement si douloureux, elle partirait !

Grâce à Dieu, il changea complètement de conversation :

— Quand je suis arrivé en Angleterre, j'ai essayé de te téléphoner à plusieurs reprises. Tu n'as jamais rappelé.

— A quoi bon ? Dès lors que nous étions séparés, pour moi, tout était fini entre nous… De toute façon, je n'ai pas envie de revenir là-dessus. Et j'en ai assez, aussi, d'être ici.

— Je l'avais compris, répondit sèchement Cal. Mais il y a ce film qui nous attend, que nous allons devoir tourner ensemble. Aussi, je propose que nous fassions la paix pendant quelque temps, d'accord ?

Elle hésita.

— On ne peut pas changer le passé, Kirsten. On ne peut qu'aller de l'avant, forts de l'expérience qu'il nous a enseigné.

Tout cela semblait si sensé, si mature. Elle savait qu'il avait raison — pourtant, elle se sentait incapable d'oublier ou de pardonner.

— Alors, Kirsten ? D'accord pour que nous laissions de côté nos différends et que nous nous efforcions de travailler sereinement ensemble ?

C'était la moins mauvaise des solutions, dut-elle admettre, quoiqu'à contrecœur.

— Je vais essayer, murmura-t-elle.

Il lui sourit.

— Bien… Je suis content de travailler avec toi. J'ai lu les critiques sur ton spectacle à Broadway. On dit que tu as beaucoup de talent.

— Inutile de me flatter, Cal. Contentons-nous de nous respecter mutuellement, ce sera déjà bien.

La voyant reposer ses couverts sur l'assiette de saumon mariné auquel elle n'avait même pas touché, Cal lui demanda si elle prendrait un café.

— Non. J'ai envie de rentrer.

Il ne discuta pas.

Elle le regarda faire signe au serveur pour avoir l'addition. Cal devait être satisfait maintenant et s'imaginer que tout contentieux était écarté entre eux, qu'une fois de plus, son charme avait opéré et qu'ils allaient pouvoir travailler ensemble dans de bonnes conditions. Car le travail était tout ce qui importait à Cal, pensa-t-elle avec aigreur.

Elle se leva de table.

— Eh bien, à la semaine prochaine sur le plateau, lança Cal.

— A la semaine prochaine, répondit-elle en écho, affectant, non sans peine, une égale désinvolture.

Mais il n'y avait aucune raison qu'elle ne puisse vivre, elle aussi, la situation avec indifférence et détachement. Car elle ne succomberait plus jamais au charme de Cal.

2.

— Tu sais bien que je t'ai toujours aimé.

Kirsten fit la grimace. Les mots sonnaient faux, le ton manquait de naturel. Elle regarda le script sur la table de la cuisine et récita de nouveau la réplique, sans meilleur résultat.

— Tu travailles encore à cette phrase ?

Son amie Chloe, qui venait d'entrer, affichait un franc amusement.

— Ça n'a rien de drôle. Je pars pour le studio dans cinq minutes et je ne maîtrise toujours pas mon texte.

— Ne te tracasse pas. Une fois sur le plateau, tout ira bien… Par contre, tu devrais jeter un coup d'œil à ça avant de partir, dit-elle, jetant un magazine sur le script de Kirsten.

— Tu achètes toujours cette presse à sensations ?

Elle eut un choc à la vue de la photo qui s'étalait en pleine page : Cal et elle sortant du restaurant Charlie après leur déjeuner de la semaine précédente !

« La coqueluche d'Hollywood, Cal McCormick, et son ex-femme filent-ils de nouveau le grand amour ? » s'interrogeait la légende.

— Qui a bien pu prendre ce cliché ? s'exclama Kirsten, refusant de s'intéresser à l'article lui-même. Il n'y avait aucun photographe !

— Ou tu ne l'as pas vu ! Il devait se camoufler derrière un arbre. Je vais te lire ce qu'on raconte sur vous pendant que tu te prépares, d'accord ? proposa obligeamment Chloe.

— Non, merci. De toute façon, je suis prête… Pourvu que ma mère ne soit pas tombée sur cet article !

— A mon avis, presque tout Hollywood l'aura eu dans les mains. C'est pour cette raison que j'ai préféré te le montrer. Au cas où quelqu'un t'en parlerait…

Un quart d'heure plus tard, Kirsten présentait son laissez-passer au gardien des studios puis entrait dans le parking. La vue de la Mercedes de Cal, garée sur l'emplacement réservé à côté du sien ne fit rien pour arranger son humeur. Monsieur devait être là depuis 6 heures du matin et connaître son texte sur le bout du doigt !

Kirsten se rendit dans sa loge et salua d'un ton qui se voulait guilleret la coiffeuse et l'habilleuse déjà là. Un négligé vaporeux suspendu à un cintre attira son attention.

— Qu'est-ce que c'est ? demanda-t-elle, méfiante.

— Votre costume.

— Je croyais que nous tournions une scène d'extérieur.

— Il y a eu un changement de programme, l'informa aimablement la coiffeuse. Ils ont décidé de tourner une scène d'amour.

Malgré toute sa bonne volonté, le visage de Kirsten se décomposa.

Une heure après, laissée seule dans sa loge face au miroir, elle essayait de se persuader qu'une scène d'amour, ce n'était pas une telle affaire. *The Love Child* était une comédie tendre et légère, et les scènes un peu intimes se limitaient à des câlins et des baisers.

« Et puis, tu joues juste un personnage, se dit-elle avec détermination. Tu es Helen, pas Kirsten ! »

De fait, après être passée entre les mains de la coiffeuse et de la maquilleuse, et dans ce négligé de mousseline turquoise qu'elle n'aurait jamais osé porter dans la vie, c'est à peine si elle reconnaissait son allure.

Il n'empêche, son trac était loin de diminuer. Pourtant, elle avait tourné une scène d'amour pour un téléfilm l'année précédente sans que cela lui pose problème. Il est vrai qu'elle avait pour partenaire Jason

Giles, un ami. Il l'avait fait rire sur le plateau, et tout s'était passé dans la décontraction.

Elle eut une pensée affectueuse pour Jason. Ils avaient fait connaissance lors d'une soirée à Hollywood alors qu'elle était encore avec Cal. Le hasard avait voulu qu'ils jouent dans la même pièce à Broadway, puis dans ce film pour la télévision. L'amitié de Jason lui avait été un précieux soutien dans certaines périodes difficiles de sa vie. Ils continuaient de se voir régulièrement, et devaient d'ailleurs se rendre ensemble à une première le week-end suivant.

Le mieux était d'aborder cette scène d'amour avec la même décontraction que pour celle tournée avec Jason, se raisonna Kirsten. Elle ferma les yeux et essaya de se détendre en se concentrant tour à tour sur chaque partie de son corps pour en dénouer les tensions…

C'est ainsi que Cal la découvrit quelques minutes plus tard. Manifestement, elle ne l'avait pas entendu entrer et il en profita pour la contempler dans cette pose abandonnée, follement sensuelle dans son déshabillé affriolant, les cheveux épars sur les épaules…

Mais un bruit dut le trahir. Elle ouvrit grand les yeux, stupéfaite.

— De quel droit es-tu entré sans frapper ?

— J'ai frappé, et il m'a semblé t'entendre répondre : « Entrez ».

— Tu as rêvé !

Malgré sa colère, elle ne put s'empêcher de remarquer combien il était séduisant dans ce costume sombre qui épousait impeccablement sa puissante carrure.

— Tu… tu te reposais ?

— Que viens-tu faire ici ? lança-t-elle pour toute réponse.

— Simplement te demander si tu es prête pour la scène de sexe que nous allons tourner ce matin.

Kirsten était occupée à enfiler le peignoir assorti à son négligé. Elle se figea malgré elle, dans un accès de panique.

— La scène de sexe ? Ce n'est pas une scène de sexe !

— Nous serons dans un lit ensemble, étroitement enlacés, et nous nous embrasserons… entre autres choses. Comment voudrais-tu que j'y fasse référence ?

— Comment ça… entre autres choses ? bégaya-t-elle. Les scènes d'amour dans le film sont… sont très chastes. Désolée de te décevoir, Cal, mais il n'y a pas de sexe à proprement parler.

— Ce n'est pas ce que me disait à l'instant ce cher Theodore, notre réalisateur.

« Reste calme », s'exhorta mentalement Kirsten. Il devait s'amuser à la faire marcher.

— Il y aura juste un baiser, Cal, un seul ; et pour moi, c'est déjà bien assez !

— Ne t'inquiète pas. Je m'arrangerai pour te le rendre agréable… On est bon acteur ou on ne l'est pas.

— Tu m'exaspères ! explosa Kirsten.

A cet instant précis, on frappa à la porte.

— Un bouquet de fleurs pour vous, Kirsten ! claironna gaiement une voix.

Cal n'eut qu'à se retourner pour ouvrir. Une des machinistes se tenait là, disparaissant presque derrière un impressionnant bouquet de roses rouges.

— Oh, monsieur McCormick ! Je ne savais pas que vous étiez là, gloussa-t-elle.

— C'est bon, j'allais partir… Qui a envoyé ces fleurs ? demanda-t-il négligemment.

Et devant Kirsten incrédule, la demoiselle déplia la carte jointe au bouquet.

— Jason Giles, annonça-t-elle obligeamment.

Et avant que Kirsten ait pu intervenir, la machiniste lut ce qui y était écrit :

— « Tous mes encouragements, Kirsty, je sais que tu seras formidable ! J'ai hâte de te revoir samedi prochain à la première. »

25

— Si vous permettez ! Cette carte est personnelle ! intervint Kirsten, lui ôtant le bouquet des mains.

— Excusez-moi, bredouilla l'autre, confuse.

Elle regarda Cal, rougissante, lui adressa un sourire de connivence, puis s'éclipsa — sans doute pour aller colporter l'incident à tout le plateau, songea Kirsten avec irritation.

— Ce Jason Giles te tourne donc toujours autour, murmura Cal d'un ton moqueur.

— Je t'en prie, mêle-toi de ce qui te regarde !

Imperturbable, il poursuivit :

— C'est incroyable… Arrête de jouer avec ses nerfs, Kirsten, envoie-le promener une fois pour toutes.

— Et pourquoi ça ? Nous sommes très proches, Jason et moi !

— Vraiment ?

— Oui, vraiment.

Ce qui était un peu exagéré. Jason était certes un ami précieux, mais juste un ami.

— Et depuis combien de temps t'offre-t-il des bouquets de roses rouges ? Depuis que vous avez joué ensemble à Broadway ? Ou dès que j'ai quitté le domicile conjugal ?

— Ne juge donc pas autrui d'après toi-même !

— Allons, Kirsten, d'après ce que je me suis laissé dire, notre lit était encore chaud que Jason était là à frapper à ta porte.

— Pour me soutenir moralement, oui. C'est un garçon formidable, et je n'accepte pas tes sous-entendus odieux !

— Quelle ardeur à le défendre, ma chère ! Tu dois être vraiment mordue.

— Va-t'en au diable !

Excédée, elle le poussa carrément dans le couloir et lui claqua la porte au nez. Elle qui espérait se détendre !

L'heure de gagner le plateau approchait. Il ne s'agissait pas d'arriver en retard et de s'attirer les foudres de Theodore Tradaski le premier jour de tournage. L'homme était réputé pour son génie de réalisateur autant que pour ses colères homériques.

Quand Kirsten se présenta sur le plateau, un différend entre Theodore et les électriciens monopolisait l'attention générale, si bien que sa présence passa quasiment inaperçue. Se frayant un chemin à travers les câbles électriques, elle observa aussi la scène, un peu en retrait. De toute évidence, le tournage n'était pas près de commencer. On en était encore à installer des décors. L'élément principal en était un grand lit à barreaux de cuivre.

— Et voilà le champ de bataille !

C'était Cal qui avait surgi derrière elle à son insu pour lui glisser ces mots à l'oreille. Elle sursauta violemment.

— Cal ! Tu m'as fait peur !

— Tu es bien nerveuse. A quoi rêvais-tu ?... A la scène romantique que nous allons tourner, peut-être ?

Elle ne releva pas, et comme il était toujours en costume, demanda :

— Pourquoi n'es-tu pas en tenue de scène comme moi ?

— Tu me préférerais nu, c'est ça ? Je plaisante, ajouta-t-il avec son sourire malicieux. Il s'agit bien de ma tenue de tournage.

— Mais... tu ne devrais pas être... un peu plus dévêtu ?

— Apparemment, Theo a fait quelques modifications. La scène ne sera pas tournée comme prévu initialement.

— Ah, bon ?

Elle se rappelait les récentes allusions de Cal au sujet d'une scène de sexe. Tout compte fait, ce n'était peut-être pas une plaisanterie... Kirsten s'efforça de dissimuler l'affolement qui la gagnait.

Cal choisit ce moment pour lui rajuster son peignoir qui avait glissé sur son épaule. Il ne fallut pas plus que le frôlement de cette main pour lui arracher un frisson. Et soudain, elle fut éminemment consciente de la présence de Cal toute proche, de l'éclat étrange des yeux qui la contemplaient... Sa respiration s'accéléra. Comme il attardait son regard sur ses lèvres, elle les humecta nerveusement. Des images venues de nulle part se bousculaient dans sa tête, alimentant son trouble. Des images d'elle et lui, autrefois, dans le feu de la passion…

Non, elle ne pouvait pas tourner une scène érotique avec Cal. C'était tout simplement impossible !

— Je te sens angoissée, murmura-t-il avec douceur.

— Pas du tout ! démentit-elle, sans doute un peu trop énergiquement.

— Veux-tu que nous répétions notre texte en attendant de commencer ?

— A quoi bon ? Si Theo a déjà modifié le script…

— Le voilà qui arrive, justement. Nous allons être fixés.

Theodore Tradaski était un homme grand et sec d'une cinquantaine d'années, aux yeux si noirs, si vifs, qu'ils vous transperçaient d'un seul regard.

— Theo, quel est le problème ? demanda Cal d'un ton enjoué.

Le metteur en scène expliqua en bougonnant que les éclairages ne le satisfaisaient pas.

— Quand allons-nous tourner cette scène, alors ? s'enquit Kirsten, espérant avoir le temps de prendre un café.

— Tout de suite, décréta-t-il, leur désignant le plateau. Kirsten, allez vous asseoir sur le lit. Nous allons faire un essai avec la nouvelle version du texte.

Elle s'arma de toute sa volonté et fit ce qui lui était demandé. On lui glissa une feuille où était tapé son nouveau texte.

« Tu sais bien que je t'ai toujours aimé, mais ce que tu me demandes est impossible. »

Par une étrange ironie, la première réplique qu'on attendait d'elle était celle sur laquelle Kirsten avait tant buté. Elle se concentra sur sa respiration…

— Bien. On y va !

Theo fit signe à Cal de venir.

Elle le regarda approcher et réciter son texte. Quelle aisance, quel naturel ! Chaque mot était prononcé avec le ton juste, l'expression qu'il fallait. L'acteur forçait vraiment l'admiration.

Tout d'un coup, Kirsten se rendit compte que le silence s'était fait et que tous attendaient sa réplique. Subjuguée par la prestation de Cal, elle en avait oublié qu'elle était sa partenaire !

Elle bredouilla une excuse, puis récita son texte :

— *Tu sais bien que je t'ai toujours aimé, mais ce que tu me demandes est impossible.*

— *Rien n'est impossible, chérie, si chacun y met du sien.*

Cal s'assit près d'elle sur le lit, leurs cuisses se touchaient, et ce contact lui faisait l'effet d'une brûlure. Elle se rappela subitement qu'un soir Cal était venu s'asseoir ainsi à côté d'elle et lui avait dit des paroles assez semblables… L'émotion que suscita en elle ce souvenir lui fit de nouveau oublier sa réplique.

Cal la lui souffla, et elle répéta :

— *Je veux espérer qu'il existe une solution.*

Le visage de Cal se rapprocha jusqu'à n'être plus qu'à quelques centimètres du sien. Si près, il devait forcément entendre le battement fou de son cœur. Ils se regardaient, immobiles, les yeux dans les yeux, et elle eut l'impression de se noyer dans le bleu insondable de ses prunelles… Comme dans un réflexe de survie, elle s'écarta et se tourna vers Theo.

— Alors, comment était-ce ?

Il secouait la tête d'un air très mécontent, et elle se prépara à une avalanche de critiques. Aussi, quel ne fut pas son soulagement de constater que sa colère était en fait dirigée contre les éclairagistes.

Theo était un perfectionniste. Il aboya des ordres pour qu'on lui règle la lumière comme il le souhaitait, et conseilla à Cal et Kirsten d'aller boire un café en attendant. Ce dont la jeune femme ne fut pas mécontente.

Le distributeur de boissons se trouvait non loin de là dans un couloir.

— As-tu des nouvelles de ton père ? lui demanda Cal tout en plaçant un gobelet sous la machine à café.

— Il a repassé une nouvelle série d'examens. Nous attendons les résultats.

— Si je peux être utile à quelque chose, n'hésite pas.

— Malheureusement, il n'y a rien d'autre à faire qu'à patienter.

Elle fut consciente du léger tremblement qui altérait sa voix. Pourquoi avait-elle la gorge serrée lorsque Cal lui témoignait de la gentillesse ?

Elle se rappela quel merveilleux compagnon il était à une époque, comme ils étaient heureux… Dieu merci, une alarme intérieure la rappela à l'ordre. Si elle commençait à s'aventurer sur ce terrain…

Cal lui avait donné gobelet de café et attendait le sien quand des éclats de voix venant du plateau attirèrent leur attention. Toujours très en colère apparemment, Theo continuait d'invectiver son monde avec force gesticulations.

— D'où Theo est-il originaire ? demanda-t-elle à Cal, satisfaite au fond d'elle-même de cette diversion.

— Je ne sais pas. Il doit avoir du sang russe et grec dans les veines ; il semble parler couramment ces deux langues.

La conversation ne se poursuivit pas au-delà car l'homme se dirigeait justement vers eux à grands pas.

— Rien ne va comme je veux ! Nous allons devoir tourner une scène différente. Assez perdu de temps !… Mais d'abord, suivez-moi dans mon bureau. Il y a diverses choses dont je veux vous parler.

Déjà, il s'éloignait au pas de charge dans le couloir.

Kirsten se tourna vers Cal, peu rassurée.

— De quoi veut-il nous parler, à ton avis ?

Il haussa les épaules en signe d'ignorance puis lui sourit, et Kirsten lui rendit malgré elle son sourire. Ce qu'elle se reprocha. Cal n'était ni un ami, et encore moins un complice !

Guère plus grand qu'un placard à balais, le bureau de Theodore se composait d'une simple table de travail et de deux chaises. Cal resta debout, et Kirsten prit l'unique siège disponible face au réalisateur, affairé à fourrager parmi les innombrables papiers épars devant lui.

— Bien… Je voulais voir avec vous les détails du tournage de la semaine prochaine. Vous savez que nous partons pour San Francisco ; le responsable des décors a trouvé une maison qui convient pour les prises de vue.

Ouf ! Kirsten avait craint que Theo veuille ajouter des scènes d'amour au film. Quant au tournage à San Francisco, on l'en avait déjà informée lorsqu'elle avait accepté le rôle.

Theo lui remit le calendrier des scènes à tourner qu'il qualifia lui-même d'approximatif. Pendant qu'elle y jetait un coup d'œil, il enchaîna :

— Le studio vous fournit un logement à San Francisco, vous n'avez pas à vous en inquiéter. Mon assistante vous communiquera tous les détails en fin de semaine, en même temps qu'elle vous donnera vos billets d'avion.

Il se tut et Kirsten, pensant qu'il en avait terminé, se leva.

— Une dernière chose…

Comme il fouillait de nouveau dans ses papiers, elle se rassit.

— J'ai été contacté ce matin par le service des relations publiques… Ils m'ont parlé de ça.

« Ça » n'était autre que le magazine qu'avait montré Chloe à Kirsten, et que Theo posait à présent devant elle, ouvert à la page de la photo qui les représentait, Cal et elle !

Une mise au point s'imposait :

— Je tiens à préciser qu'il n'y a pas un mot de vrai dans cet article. N'est-ce pas, Cal ? Ce ne sont que des ragots !

— De quoi s'agit-il ? demanda Cal, prenant le magazine. Tu es ravissante sur cette photo, Kirsten…

— Merci, mais j'aimerais t'entendre dire à Theo que tout dans cet article n'est que pure invention ! Nous n'avons fait que déjeuner ensemble et…

— Franchement, je ne pense pas que ça intéresse Theo, l'interrompit-il.

Ce dernier confirma :

— En effet. Si je vous en parle, c'est bien parce que les relations publiques me l'ont demandé. Ils sont friands de ce genre de chose, vous le savez. Tout ce qui peut aider à la promotion du film… D'ailleurs, Sue Williams a l'intention d'en discuter avec vous.

— Sue Williams… ? répéta Kirsten, à qui ce nom n'évoquait rien.

— La responsable des relations publiques, précisa Theo. Pour résumer la chose, ils aimeraient bien que vous exploitiez ce filon — je veux dire, le fait que ça recommence entre vous. Ça ferait de la publicité au film.

— Eh bien, tant pis ! répliqua Kirsten. Pas question de jouer la comédie hors des plateaux ! Ces rumeurs sont totalement fausses : Cal et moi n'avons pas l'intention…

— Peu importe, coupa Theo. C'est juste un coup de pub, Kirsten. Si ça vous gêne, adressez-vous à Sue, c'est son problème… pas le mien. En attendant, ils me chargent de vous dire que vous devez assister ensemble à une première…

Il sortit une enveloppe de sous un dossier et en extirpa une carte.

— Voyons… c'est samedi prochain. Le studio demande que tu ailles chercher Kirsten vers 19 h 30, Cal, que vous assistiez à la réception après la projection et que tu la raccompagnes vers minuit…

— Faut-il aussi que nous couchions ensemble ? explosa Kirsten. A minuit et quart, chocolat chaud, et à minuit et demie, on enlève le pyjama de satin ?

Theo haussa les sourcils.

— Il n'est fait aucune allusion à ce qui doit se passer après minuit.

— Kirsten se transforme sans doute en citrouille, ironisa Cal.

Ce qui ne fut pas du goût de l'intéressée.

— Au moins, je ne risque pas de me transformer en rat, comme toi !

— Allons, allons ! intervint Theo. Nous devons avoir de bonnes relations de travail.

— Pour moi, le travail, c'est ici, au studio ! rétorqua Kirsten. En dehors, on touche à ma vie privée. D'ailleurs, je comptais me rendre à cette première avec Jason Giles.

— Libre à vous, Kirsten. Mais ça risque de n'être pas apprécié en haut lieu. Ce film pèse un budget très lourd, et on attend de vous une certaine coopération.

Cela signifiait-il que si elle rechignait, le studio lui refuserait tout contrat à l'avenir ?

— Ce n'est pas juste !

Puis, se tournant vers Cal :

— Nous n'allons pas nous soumettre à ça, n'est-ce pas ?

Il haussa les épaules.

— On m'a demandé pire pour la promotion d'un film. Ça ne me dérange pas de poser pour quelques photos ou de t'accompagner à une première. En revanche, pour le chocolat chaud, désolé mais... je déteste le chocolat.

Des éclairs de colère incendièrent le regard qu'elle dardait sur lui. Quelle idiote d'avoir espéré son soutien !

Là-dessus, Theo se leva et remit l'enveloppe à Cal.

— Bien, c'est réglé. Voilà vos invitations pour samedi. Et maintenant, au travail ! conclut-il, quittant le bureau pour couper court à toute discussion.

Cal et Kirsten se retrouvèrent face à face.

— Comment ça, c'est réglé ? Je n'ai pas donné mon accord ! protesta-t-elle.

— N'en fais pas une telle affaire. Puisque tu comptais y aller à cette première...

— Avec Jason !

— Je suis certain qu'il s'en remettra. Alors que le studio, c'est moins sûr. Je passerai te prendre samedi à 19 h 30.

Il allait sortir, puis ajouta, malicieux :

— Au fait, je plaisantais pour le chocolat chaud. C'est le pyjama que je déteste. Je te préférerais de beaucoup dans ce charmant déshabillé...

3.

La chambre de Kirsten n'était plus qu'un joyeux bric-à-brac : vêtements amoncelés sur le lit, crèmes, brosse à cheveux, produits de maquillage et autres accessoires sur la coiffeuse… Autant de signes de la précipitation avec laquelle Kirsten se préparait pour sa première de ce soir.

Elle avait prévu de porter une mini-robe rouge pour l'occasion ; mais c'était quand elle pensait être accompagnée de Jason. Son changement de cavalier l'avait complètement perturbée, et au dernier moment, elle avait renoncé à la mini-robe, jugée trop osée. Si Chloe ne s'était pas gentiment proposée pour la coiffer et l'aider à se maquiller, elle n'aurait jamais été prête à temps.

— Heureusement que tu es là, Chloe ! Jusqu'à hier soir, je pensais vraiment pouvoir échapper à cette mascarade. J'ai essayé de joindre Sue Williams toute la semaine, mais on me répondait invariablement qu'elle n'était pas disponible et me rappellerait. J'attends toujours son coup de fil !

— De grâce, cesse de t'agiter ! implora Chloe, poussant légèrement la tête de Kirsten afin de glisser une épingle à cheveux supplémentaire au niveau de sa nuque.

— Si encore Cal avait protesté, comme moi… Lui, on l'aurait écouté ! Pense donc, M. Cal McCormick ! Alors que moi…

— Essaie de prendre la chose du bon côté. Bien des femmes seraient ravies d'être vues au bras de Cal. Ça ne peut pas nuire à ta carrière.

— Non… juste à ma santé mentale. Cette semaine de tournage a été épouvantable. Tu n'imagines pas comme il peut être horripilant. Demain, nous partons ensemble à San Francisco ; le studio a eu la bonne idée de nous réserver des places sur le même vol ! Alors, devoir en plus sortir avec lui ce soir…

— Pourtant, tu l'aimais à une époque, non ? remarqua doucement Chloe. Il n'a pas que des défauts, j'imagine ?

— Non…, admit Kirsten, troublée malgré elle par la question. Et c'est vrai, je l'aimais autrefois… J'avais bien tort !

— Quelles sont ses qualités, alors ?

Ses qualités, Kirsten préférait ne pas y penser !

— Je ne sais pas… Ah oui, c'était un maniaque de l'ordre ! dit-elle, notant du coin de l'œil la pagaille environnante.

— Ce n'est pas une qualité !

Chloe fixa les dernières épingles puis annonça avec une certaine satisfaction :

— Et voilà ! Tu peux te regarder maintenant.

Kirsten redressa la tête et se vit dans le miroir.

— J'ai peine à me reconnaître !

Chloe présenta derrière elle une glace pour lui montrer le chignon qu'elle venait de réaliser. Une coiffure qui lui donnait une classe folle tout en soulignant sa féminité.

— Tu as fait du beau travail ! Merci mille fois, Chloe. Et bravo aussi pour le maquillage !

— Tu ne seras pas en retard, nota son amie après un coup d'œil à sa montre.

— Grâce à toi ! Dis-moi, tu es sûre que je présente bien ?

Kirsten se leva et tourna sur elle-même afin qu'aucun détail n'échappe à Chloe.

Elle portait une robe de soie ivoire qui épousait la silhouette avec sensualité et descendait jusqu'aux chevilles. De fines bretelles la maintenaient sur les épaules. Cette toilette était d'une élégance sobre, du moins de face ; de dos, les bretelles dessinaient un croisillon vertigineux jusque dans le creux des reins.

— Tu ne trouves pas que c'est un peu… déshabillé ?

— Non, tu es ravissante, décréta Chloe. C'est le genre de robe qui fait fureur actuellement.

Le timbre aigu de la sonnette résonna soudain dans tout l'appartement. Kirsten jeta un regard affolé à son amie.

— Si c'est lui, il est un peu en avance !

— Tu n'as qu'à le faire attendre. Je vais lui ouvrir.

Kirsten se rassit devant la coiffeuse, en proie à une fébrilité qu'elle eut du mal à s'expliquer. Il est vrai que les circonstances étaient peu communes. Etre obligée de sortir avec son ex-mari à des fins publicitaires ! Il n'y avait qu'Hollywood pour inventer pareilles extravagances.

La voix de Cal lui parvint de l'entrée.

Elle se rappela les paroles de Chloe… « Tu as dû l'aimer à une époque. » Elle l'avait aimé, oui. Sur un coup de foudre.

Ils s'étaient rencontrés à un mariage ; elle était une amie de la mariée, et lui, un ami du marié. En tournant la tête vers le banc opposé dans l'église, elle avait croisé son regard… et était tombée instantanément sous le charme.

Il était tellement beau ! Il lui avait souri, et elle s'était sentie rougir jusqu'aux oreilles. Heureusement, sa capeline à large bord lui offrait un écran providentiel pour se soustraire à son regard provocant, se souvint Kirsten.

— Qui est-ce ? avait-elle demandé tout bas à son amie Charlotte, à côté d'elle. Non, ne regarde pas tout de suite… il se douterait que je parle de lui.

Charlotte avait jeté subrepticement un coup d'œil vers la travée voisine, puis avait souri.

— C'est Cal McCormick. Il est acteur. Il s'est distingué dans un second rôle au cinéma qui l'a rendu célèbre, l'été dernier. On lui promet un bel avenir.

36

— Avec qui est-il ? s'était enquis Kirsten, ayant remarqué une jolie brune à ses côtés.

— Maeva Ryan. C'est la femme de Brian Harris, le metteur en scène. Il est bien plus âgé qu'elle ; les mauvaises langues disent qu'elle l'aurait épousé pour donner un coup de pouce à sa carrière d'actrice. Il tourne à l'étranger, je crois. C'est pour cette raison qu'elle est ici avec Cal. Ils sont très bons amis.

Ils étaient davantage que très bons amis, songea Kirsten avec amertume. L'ennui, c'est que cela lui avait échappé à l'époque. Quand elle s'en était rendu compte, Cal et elle étaient mariés, et elle était enceinte de sept mois.

Le bébé, Kirsten s'interdisait d'y penser. Cela lui faisait trop mal. Même si le temps avait passé, la blessure était encore à vif…

Le rire joyeux de Chloe dans le salon la ramena au présent. Monsieur jouait encore de son charme ! se dit Kirsten. Ne pouvant différer indéfiniment l'épreuve, elle se résolut à les rejoindre.

A son entrée, Cal se leva de son fauteuil. En costume anthracite finement rayé, chemise blanche déboutonnée au col, il était tout simplement éblouissant.

— Tu es superbe, Kirsten.

— Merci, répondit-elle en se dérobant au regard admiratif qu'il promenait sur sa personne. Si nous voulons respecter l'horaire fixé par le studio, nous devrions y aller.

Elle n'avait pu résister à l'envie de lui rappeler que ce n'était pas par choix personnel qu'elle sortait avec lui.

Nullement troublé, il approuva, puis adressa un sourire à Chloe.

— J'ai été très heureux de faire votre connaissance !

Incrédule, Kirsten vit alors son amie rougir jusqu'aux oreilles comme une adolescente de quinze ans. Avoir un tel pouvoir sur les femmes, ce n'était pas permis !

*
* *

Dehors, l'atmosphère était singulièrement douce pour un début de mois de mars. Kirsten prit place dans l'impressionnante voiture de sport de son ex-mari, se consolant à l'idée qu'après la projection, elle comptait bien s'occuper librement de son côté jusqu'à ce que Cal la raccompagne.

— Au fait, et ce brave Jason ? Pas trop déçu que tu lui aies posé un lapin ? demanda-t-il à un feu rouge.

— Si ! Mais je lui ai dit que nous pourrions nous voir malgré tout et boire un verre ensemble à la réception.

— Parce qu'il a quand même l'intention de venir ?

— Evidemment.

Après une hésitation, elle trouva le courage d'ajouter :

— Et toi ? Ta petite amie du moment sera là ?

— A quelle petite amie fais-tu allusion ? répliqua-t-il, lui décochant un sourire ironique.

— Ah, toujours à les collectionner, je vois, marmonna-t-elle entre ses dents.

— Je suis célibataire. Je ne vois pas ce qui m'empêcherait de les collectionner, comme tu dis.

« Et Maeva n'est pas jalouse ? » faillit-elle demander. Mais elle préféra tenir sa langue.

— Au moins, enchaîna Cal, vu que ni toi ni moi n'avons de relation sérieuse avec quiconque, ce qu'on écrit sur nous dans la presse ne fera de peine à personne.

— Parle pour toi ! Jason est furieux, se surprit-elle à répondre.

— C'est donc si sérieux entre vous ?

— Je te l'ai dit, nous sommes très proches.

— Eh bien, pardonne-moi si je n'en perds pas le sommeil, mais peu m'importe que cela le contrarie ou non !

— Ça ne m'étonne pas de ta part.

Pourquoi donc se sentait-elle obligée de mentir à propos de Jason ? Certes, il avait été déçu qu'elle se décommande, mais pas vraiment fâché… Etait-elle si fière qu'elle ne supportait pas d'admettre devant Cal n'avoir personne dans sa vie ? Et ce, depuis son divorce ?

La façade illuminée du théâtre se détacha devant eux dans la nuit. Kirsten commença à se préparer mentalement à l'assaut des médias.

L'accès au bâtiment était délimité par un cordon afin de tenir le public à distance. A chaque voiture qui s'arrêtait, déposant des vedettes devant le tapis rouge, acclamations et sifflets s'élevaient de la foule. Kirsten, timide par nature, appréciait peu ce genre de situation.

— Ça va ? lui demanda Cal après un bref coup d'œil dans sa direction.

Il la savait mal à l'aise dans ces circonstances, et cela lui rappela les nombreuses fois où il l'avait aidée à affronter ce type d'événement par le passé ; le mot d'encouragement qu'il avait toujours au bon moment, le réconfort de son bras autour de ses épaules. C'était là l'un des rares avantages à avoir été sa femme : Cal l'avait toujours protégée.

— Oui, oui, ça va, mentit Kirsten.

— Tant mieux.

Cal venait de s'arrêter. Sitôt descendus de voiture, ils furent littéralement bombardés par une rafale de flashes. Le voiturier du théâtre s'occupa de la Mercedes de Cal pour la garer.

— Cal ! Par ici ! Par ici !

Journalistes et photographes rivalisaient pour attirer son attention.

Il sourit aux uns et aux autres puis posa une main autour de la taille de Kirsten pour la guider vers le majestueux perron recouvert d'un tapis rouge. Elle ne put s'empêcher de comparer cette arrivée aux autres fois où elle était venue ici avec Jason. Il n'y avait jamais eu une telle excitation autour d'eux. En fait, elle n'avait plus vécu ce type de situation depuis l'époque où elle était mariée avec Cal et qu'il était brusquement devenu célèbre.

A la porte du théâtre, une blonde pulpeuse les arrêta.

— Cal, un petit instant, s'il vous plaît ! Sandy Peterson de Cable TV. Pouvez-vous m'accorder une courte interview pour l'émission *Info Star* de demain ?

— Juste pour vous faire plaisir, alors, acquiesça-t-il avec son sourire charmeur.

— Pourriez-vous nous en dire davantage sur le film que vous tournez actuellement, *The Love Child* ?

Obligeamment, il lui fit un rapide résumé de l'intrigue, l'histoire d'un couple marié mais sans enfants, totalement accaparé par leurs professions respectives, et dont l'existence allait être chamboulée par l'irruption inopinée d'un petit neveu de six ans et de son chien.

Sandy Peterson reporta ensuite son attention sur Kirsten.

— Vous jouez le rôle de l'épouse de Cal. Vous sentez-vous à l'aise dans ce personnage ? Comme vous avez été réellement mari et femme dans la vie...

— J'avoue avoir été un peu surprise de devoir donner la réplique à Cal... On conseille aux acteurs d'éviter de tourner avec des enfants ou des animaux. Peut-être devrait-on ajouter les ex-maris à la liste, répondit-elle avec un sourire.

— A votre avis, y a-t-il un parallèle entre ce film et ce que vous avez personnellement vécu dans votre couple ?

Kirsten n'était pas du tout préparée à ce type de question. Dieu merci, Cal vola à son secours :

— Sandy, vous nous permettrez de ne pas répondre. Kirsten et moi avons tourné la page, et c'est pourquoi nous pouvons sans problème travailler ensemble maintenant.

— On murmure qu'une idylle renaîtrait entre vous. Que faut-il en penser ?

Cal sourit.

— Là encore, nous nous abstiendrons de répondre, n'est-ce pas, ma chérie ?

Kirsten se sentit fondre sous l'intensité du regard dont il l'enveloppait.

— Disons simplement que nous laissons le temps au temps, ajouta-t-il. Mais c'est un vrai bonheur d'être ici ensemble, ce soir !

— Avez-vous quelque chose à ajouter ? demanda Sandy, tendant le micro à Kirsten.

Troublée par le contact de la main de Cal dont le pouce la caressait délicatement au bas du dos, elle articula avec peine :

— Nous sommes juste bons amis.

— Très bons amis, renchérit Cal.

Et avant qu'elle ait pu anticiper ses intentions, il effleura ses lèvres d'un baiser. Brièvement, certes, mais c'était plus qu'il n'en fallait pour achever de l'ébranler… et embraser ses sens. La foule salua ce geste par des sifflets approbateurs tandis qu'ils entraient dans le théâtre.

— Quel sacré toupet tu as eu de m'embrasser !

— N'y vois aucune intention personnelle. Juste une bonne action pour la promotion du film.

Elle se sentit frémir. Mais le lieu ne se prêtait pas à un esclandre ; ils entraient dans la salle de projection, et Kirsten dut ravaler sa colère.

Elle aperçut Jason qui lui faisait signe parmi la foule. Elle le salua en retour, regrettant une fois de plus qu'il ne soit pas son cavalier. Avec Jason, tout était simple. Ils auraient bavardé du film qu'ils allaient voir, Jason lui aurait raconté mille et un secrets sur le tournage ; mais surtout, si par inadvertance il lui avait frôlé le bras, jamais elle n'aurait éprouvé ce trouble redoutable comme avec Cal.

Lorsqu'ils furent assis, la conscience de sa présence toute proche se fit encore plus aiguë, aggravée par le frôlement de sa manche contre son bras nu. Elle essaya de se faire la plus petite possible sur son siège afin d'éviter tout contact avec lui, mais dans cet espace étriqué, ce n'était pas facile.

Les lumières s'éteignirent et une musique s'éleva.

Tous ses sens étaient tendus vers Cal, au point qu'elle ne pouvait se concentrer sur le générique qui défilait à l'écran.

— Tu n'as pas froid ? s'inquiéta Cal, glissant négligemment un bras autour de ses épaules. La climatisation est un peu forte, je trouve.

Désemparée par ce geste, elle voulut se dégager, mais la place manquait pour cela. Elle s'efforça vaillamment de fixer son attention sur l'écran. Mais c'était de tout autres images qui se déroulaient dans son cinéma intérieur.

Elle revoyait la première fois où Cal l'avait embrassée. C'était au clair de lune, loin de la noce qui faisait la fête dans la maison.

Ils se connaissaient à peine, n'avaient échangé que quelques mots, mais quand il l'avait prise dans ses bras, elle avait ressenti une émotion inouïe.

Jamais elle n'avait rencontré d'homme capable de la séduire par un simple sourire, par la chaleur d'un regard. Sa prudence habituelle, ses beaux principes, elle avait tout oublié. Ils avaient fait l'amour à leur troisième rencontre, et il leur avait fallu une bonne dose de volonté pour patienter jusque-là.

C'était un soir où Cal l'avait invitée à dîner chez lui. En réalité, ils n'étaient jamais passés à table… La passion les avait jetés dans les bras l'un de l'autre, leur faisant oublier des heures durant tout autre appétit que celui qu'ils avaient d'eux-mêmes.

Ce soir-là, se souvint Kirsten, elle avait appris que son dernier disque venait d'entrer dans les dix meilleures ventes du pays.

Tout semblait trop beau pour être vrai, et la suite l'avait, hélas, confirmé.

Leur relation avait commencé à se dégrader seulement après le mariage. Les premiers doutes étaient apparus. Cal l'avait-il épousée par amour ou bien parce qu'elle était enceinte de deux mois ?

Au début de leur union, elle n'aurait jamais songé à remettre en question les sentiments de son mari. Mais au fil du temps, ses belles convictions s'étaient peu à peu émoussées jusqu'à ne lui laisser qu'un espoir bien ténu.

Leurs problèmes étaient nés des contraintes liées à leurs métiers. Au début de leur mariage, Cal tournait dans les Caraïbes alors qu'elle était à New York en train d'enregistrer un disque. Lorsqu'ils avaient repris la vie commune, il lui avait dit son désir qu'ils s'installent à Londres une fois que le bébé serait né. On lui avait proposé un contrat juteux pour y tourner un film à très gros budget. L'Angleterre n'attirait guère Kirsten, car elle prévoyait d'enregistrer un nouvel album dans ses studios de Los Angeles dès que leur enfant aurait quelques mois.

Bref, il s'en était suivi un conflit d'intérêts — sa carrière contre celle de Cal. L'atmosphère entre eux s'était tendue. Pourtant, malgré tous leurs différends, quand il la serrait dans ses bras la nuit, elle savait tout au fond de son cœur qu'elle céderait et le suivrait jusqu'au bout du monde s'il le fallait. Naïvement, elle s'imaginait que leurs problèmes avaient pour seule cause leurs professions, et qu'une solution finirait par émerger.

Puis, à sept mois de grossesse, elle avait découvert le pot aux roses. Si Cal tenait tant à ce film en Angleterre, c'est parce qu'il aurait Maeva pour partenaire.

C'était Maeva elle-même qui l'en avait froidement informée un soir lors d'un dîner, lui reprochant plus ou moins, par la même occasion, de vouloir les séparer.

— Tu sais, Kirsten, nous sommes très attachés l'un à l'autre, lui avait-elle déclaré sans ambages. Tu le comprends, j'espère ?

— Pas vraiment, non. Que veux-tu dire au juste ?

— Simplement que Cal t'aime, bien sûr… Tu es la mère de son futur enfant ; et, naturellement, ça te donne une importance particulière — c'est bien pour ça qu'il t'a épousée… Mais Cal et moi avons aussi une relation particulière, Kirsten. Ne l'oublie jamais.

Par leur suprême audace, ces propos furent pour elle comme une révélation. Bien des choses qu'elle ne s'expliquait pas jusque-là trouvaient soudain une signification. Une terrible signification.

— Que ressens-tu pour Maeva ? avait-elle demandé à Cal sur le chemin du retour.

Il lui avait jeté un regard bizarre.

— Comment ça, qu'est-ce que je ressens pour Maeva ?

— Dirais-tu que tu es attaché à elle ?

Il avait réfléchi un moment avant de hocher la tête.

— Oui, je crois.

Il lui avait ensuite pris la main et ajouté d'un ton léger :

— Mais pas autant qu'à la mère de mon enfant, bien sûr.

C'était les mots à ne pas dire. Elle ne voulait pas qu'il l'aime simplement parce qu'elle portait son enfant. Cela ne suffisait pas. Alors qu'elle ignorait jusque-là ce qu'était la jalousie, Kirsten avait découvert ce soir-là quel goût amer elle avait…

Peut-être auraient-ils fini par trouver un terrain d'entente, peut-être aurait-elle pu retenir Cal si le bébé avait vécu. Il avait tellement envie d'être père…

Malheureusement, ils avaient perdu le bébé, et dès lors, tout s'était rapidement dégradé dans leur couple. Même la nuit, dans le lit conjugal, chacun restait désormais de son côté ; et dans la journée, ils se jetaient à corps perdu dans le travail. Si bien que, vu de l'extérieur, chacun semblait surmonter assez bien le drame ; alors qu'en réalité, le travail n'était pour eux qu'une fuite : il ne restait plus rien de leur couple.

Les lumières s'allumèrent dans la salle, ramenant brusquement Kirsten au moment présent.

— Alors, tu as aimé ? demanda Cal, retirant le bras qu'il avait posé autour de ses épaules.

Elle se rendit compte avec embarras qu'elle n'avait rien vu du film et, pire, qu'elle devait avoir une larme à l'œil.

— Assez, oui.

— Kirsten… qu'est-ce qui t'arrive ?

— Comment ?

— C'est le passage de la mort du chien qui t'a émue ? Tu es tellement sensible pour tout ce qui a trait aux animaux…

Elle eut un pâle sourire. Dieu merci, il y avait quelque chose dans le film qui justifiait une larme !

— Non, je dois avoir une poussière dans l'œil.

Tout le monde se levait, et Kirsten était impatiente de quitter la salle.

— Si tu préfères, nous pouvons éviter la réception, proposa Cal, une fois dehors.

— Le studio risque de ne pas apprécier.

Il haussa les épaules.

— Sauf si nous allons souper quelque part en tête à tête.

— Je n'ai pas faim, s'empressa-t-elle de répondre, affolée à la seule pensée de ce que cela suggérait. Et de toute façon, j'avais promis à Jason que nous nous retrouverions à la réception pour boire un verre.

— Dans ce cas, ne faisons pas faux bond à Jason.

La réception n'était en rien très différente de celles que fréquentait parfois Kirsten à Hollywood : c'était un endroit privilégié pour établir des contacts, repérer ceux qui étaient à courtiser ou à éviter selon que leur cote était ou non à la hausse dans le monde du cinéma. Tout était terriblement superficiel. En fait, les seules choses positives dans ces mondanités étaient le champagne et la beauté du lieu, l'un des plus prestigieux hôtels de Los Angeles.

Kirsten contemplait d'une fenêtre l'immense ville dont les lumières scintillaient dans la nuit. A quelques pas derrière elle, une femme s'entretenait avec un producteur, louant avec lyrisme la qualité de son film et le haut niveau de la distribution. Bientôt il s'éloigna pour parler à quelqu'un d'autre, et elle entendit la femme ricaner : « Le meilleur acteur dans son film, c'était le chien ! »

Kirsten tourna la tête et croisa le regard de Cal. Un même rire les saisit. Dans l'instant, elle sentit se relâcher la tension qui n'avait cessé de la miner toute la soirée. Ce fut comme un retour en arrière, à l'époque où ils partageaient rires et bonne humeur.

Cal lui apporta une autre coupe de champagne prise sur le plateau d'un serveur qui passait par là.

— Je te l'avais dit, nous n'aurions pas dû venir. Je savais que ce serait peuplé de faux-jetons.

— Peut-être, mais tu te plais quand même bien dans cet environnement, répliqua-t-elle, sardonique.

— Non. J'aurais préféré être seul avec toi, bien loin d'ici.

Elle le regarda, un peu désemparée. Par moments, elle avait du mal à comprendre Cal…

Sur ces entrefaites, elle aperçut Jason qui se frayait un chemin parmi les invités. Il lui sourit.

— Alors, pas mal ce film, n'est-ce pas ? dit-il, arrivé à leur hauteur.

Il embrassa Kirsten sur la joue avant de reporter son attention sur Cal :

— Il y a longtemps qu'on ne vous avait pas vu dans ce genre de soirée.

— En effet. La dernière fois, ce devait être quand vous êtes venu ici avec Kirsten… juste après que nous nous sommes séparés.

— Ah oui ?

Si Jason ne semblait pas s'en souvenir, Kirsten, elle, en avait gardé un souvenir très précis. Jamais comme ce soir-là, elle n'avait eu autant besoin du soutien moral de Jason ; elle se rappela être restée suspendue à son bras toute la soirée.

Cal fut sollicité par un groupe d'invités, et Jason en profita pour attirer Kirsten à l'écart.

— Alors, ce n'est pas trop pénible ?

— Ça peut aller.

Elle jeta machinalement un regard en direction de Cal et nota comme il était grand ; il dépassait la majorité des gens dans la salle. Y compris Jason.

Elle se refusait à comparer les deux hommes… mais se surprit pourtant à les mettre en balance. Ils étaient sensiblement du même âge et, comme Cal, Jason portait un superbe costume. Mais les similitudes s'arrêtaient là. Jason était blond et de constitution presque frêle, comparé à Cal. En fait, il semblait flotter dans son costume au lieu de le remplir.

Quel dommage, pensa alors Kirsten, que Jason ne lui fasse aucun effet physiquement.

— J'aimerais te raccompagner, Kirsten, lui dit-il avec un soudain empressement.

46

— Impossible : je dois rester avec Cal, ce soir.

— Tu as l'air de le supporter plutôt bien, fit-il remarquer, une pointe d'aigreur dans la voix.

Kirsten fut un peu déconcertée par cette remarque. Jason serait-il jaloux ?

— Les apparences sont trompeuses, crois-moi, répliqua-t-elle. Tout ça n'est qu'une mascarade pour la promotion du film… Au fait, Jason, as-tu entendu parler de la société de production, Sugar Productions ?

— Non. Ils doivent être nouveaux dans le métier.

— En effet. Ce sont eux qui financent le film dans lequel je joue ; j'essaie vainement de les joindre pour trouver un arrangement à propos de toutes ces contraintes qu'on m'impose pour la promotion du film.

— Je comprends… Excuse-moi, Kirsten, si je t'ai paru un peu abrupt à l'instant mais… je voulais te parler de quelque chose et j'espérais pouvoir le faire ce soir.

Elle se rapprocha de lui, intriguée.

— Est-ce en rapport avec le travail ?

— Non… Non, c'est… c'est autre chose.

— Je me demande quand nous aurons l'occasion de nous revoir ; je pars demain à San Francisco et…

— Je dois y aller aussi prochainement pour affaires, coupa Jason. Nous pourrions nous rencontrer là-bas ? Dîner ensemble un soir ?

— Parfait. Tu n'auras qu'à m'appeler sur mon portable, et nous organiserons ça.

— Merci.

Il lui effleura brièvement la joue. Elle croisa justement le regard de Cal, un regard railleur, et rougit.

— Tu vas me manquer, tu sais, murmura Jason.

— Nous nous verrons dans peu de temps.

Enlaçant sa taille, il l'embrassa sur la joue.

— Désolé d'interrompre ces effusions, mais je crois que nous devrions rentrer, Kirsten, interrompit sèchement Cal. Nous prenons l'avion pour San Francisco de bonne heure, demain.

— Soit…

Jason la libéra à contrecœur de son étreinte et, sur un bref salut de la tête à Cal, s'éloigna.

— Il baisse facilement les bras, remarqua ce dernier.

— Que veux-tu dire ?

— Je l'entendais te susurrer qu'il voulait te raccompagner, et le voilà qui se débine.

Kirsten lui jeta un regard noir.

— De toute façon, Jason n'est pas du genre à faire des histoires. C'est un gentleman.

— Ça veut dire que c'est un mauvais coup au lit ?

— Tu es répugnant, par moments !

Excédée, elle se dirigea sans l'attendre vers la sortie, luttant avec elle-même pour garder son calme.

Ils parvinrent en même temps à la voiture.

— Jason a toujours été attiré par toi, poursuivit Cal, imperturbable. Tu as beau prétendre que c'est un gentleman, il a été bien prompt à te mettre le grappin dessus dès que je suis parti de la maison.

C'était faux, mais Kirsten ne daigna pas polémiquer sur le sujet. Elle avait assisté à une première avec Jason peu après que Cal l'eut quittée, mais en toute camaraderie. Jason lui avait téléphoné par amitié et pour lui présenter ses condoléances quand il avait su qu'ils avaient perdu leur bébé ; il s'était montré si gentil, si compréhensif qu'elle s'était longuement épanchée et lui avait confié que Cal venait de la quitter.

Elle ne pouvait se rappeler ces jours sombres sans un sentiment de gratitude envers Jason.

— Je pensais que, depuis le temps, vous seriez tous deux installés dans un petit nid d'amour, déjà fiancés, reprit Cal, sardonique.

— Arrête de parler de Jason, veux-tu ?

— J'ai touché un point sensible, on dirait. Il ne veut pas s'engager, c'est ça… ?

— Mêle-toi de ce qui te regarde, Cal.

— C'était juste pour faire la conversation.

« Et toi ? Où en es-tu avec Maeva ? » brûlait-elle de demander. Gardait-il toujours espoir qu'elle quitte un jour son mari pour lui ? Mais elle ne poserait pas la question, non ! Il risquerait de mal l'interpréter et s'imaginer que cela lui importait.

Bientôt, ils arrivèrent devant chez elle, et elle s'apprêta à descendre, pressée qu'elle était de lui fausser compagnie.

— Tu n'oublies pas quelque chose ?

— Quoi ?

Il lui désigna l'horloge sur le tableau de bord.

— Il est minuit moins dix. Il nous reste un peu de temps.

Elle le fixa, interdite, sans pouvoir cependant bien distinguer son expression dans la pénombre.

— Comment ça ? Je…

Très efficacement, il la réduisit au silence en l'embrassant. Ce fut un choc pour Kirsten. Car ce baiser n'avait rien de comparable à celui qu'il lui avait donné en public devant le théâtre ; non, c'était un baiser long, langoureux, d'une brûlante sensualité. Il la prit complètement au dépourvu, bousculant ses défenses, si bien qu'elle l'embrassa en retour, euphorisée par le désir qui déferlait dans ses veines.

Lorsqu'il s'écarta, elle était tout étourdie, à bout de souffle.

— Pourquoi as-tu fait ça ? Il n'y avait pas de journalistes pour nous voir.

— Ah bon ?

Cal avait un ton amusé qui la blessa. Tout ceci n'était-il qu'une vaste plaisanterie à ses yeux ?

— Ce n'était pas pour la galerie, Kirsten, murmura-t-il d'une voix rauque. Juste pour le plaisir…

4.

Kirsten rêva du bébé cette nuit-là. Il était dans son berceau en petite grenouillère bleue, gazouillant et battant des jambes, les bras tendus pour qu'on vienne s'occuper de lui. L'image était si claire qu'elle distinguait même les fossettes de ses mains potelées, et ses yeux, grands et bleus comme ceux de son père.

Quand Kirsten s'éveilla, l'oreiller était humide de larmes. Encore secouée de sanglots, elle alluma la lampe de chevet et s'essuya rageusement le visage. Encore ce rêve qui la tourmentait. Cela faisait plus de six mois qu'il l'avait laissée en paix.

Elle s'efforça de se calmer et de ne plus penser à la petite fille qu'elle avait perdue. Melanie n'avait pas survécu en venant au monde. Jamais elle n'avait gazouillé ni tendu les bras à sa mère. Un instant, une souffrance si forte étreignit Kirsten que ce fut comme si son cœur se brisait.

Tout cela, c'était la faute de Cal ! Il l'avait complètement perturbée la veille en l'embrassant, réveillant en elle des souvenirs qu'elle voulait tant oublier. La perspective de devoir aller à San Francisco aujourd'hui avec lui acheva de l'accabler.

Elle repoussa le drap et s'assit au bord du lit. La pendulette sur la table de chevet indiquait 5 heures et demie. A côté, contre la lampe, étaient posés son billet d'avion ainsi qu'une pochette contenant l'adresse et les clés du logement que le studio lui avait loué à San Francisco pour la durée du tournage.

Dans un coin de la chambre se trouvaient les deux valises qu'elle avait préparées la veille, de retour de sa soirée — elle n'avait pu se coucher tout de suite tant elle était nerveuse. Toutes ses affaires étaient donc prêtes, et elle n'avait plus qu'à attendre le taxi qui viendrait la chercher à 9 h 30 pour la conduire à l'aéroport.

D'ici là, le mieux qu'elle avait à faire était d'essayer de se rendormir. Mais malgré sa fatigue, Kirsten s'en savait incapable, aussi se résigna-t-elle à se lever et descendit dans la cuisine.

Au moins n'y aurait-il pas de tournage pendant les deux jours à venir ; le travail ne reprendrait que le mardi matin, une fois le reste de l'équipe installé à San Francisco. La jeune femme essaya de se consoler à cette idée tout en buvant son jus d'orange près de la fenêtre.

L'aube commençait à poindre dans le lointain. Les yeux perdus sur l'horizon, Kirsten se rappela le baiser de Cal dans la voiture, et un frisson de désir et de peur mêlés la fit tressaillir. Car une chose l'inquiétait : la façon dont elle avait répondu instinctivement à ce baiser. Elle qui croyait que son ex-mari ne pouvait plus lui faire aucun effet... A peine l'avait-il touchée qu'elle avait perdu la tête comme par le passé. Voilà qui réduisait à néant ses belles illusions !

Son regard se posa sur sa petite Ford garée en contrebas dans la rue, et c'est alors qu'une idée lui vint : elle n'irait pas à San Francisco en avion mais en voiture !

Immédiatement, elle se sentit beaucoup mieux, comme soulagée d'un poids. Le voyage serait beaucoup plus long, certes, environ six heures, mais au moins n'aurait-elle pas à endurer la présence de Cal. Cela valait tous les sacrifices. Et puis, elle pourrait en profiter pour s'arrêter en chemin déjeuner chez ses parents.

Kirsten consulta sa montre. A une heure plus décente, elle les appellerait pour leur annoncer sa visite. Et il lui faudrait aussi informer le studio de ses projets. En attendant, elle allait tâcher de se reposer un peu afin d'être en forme pour prendre le volant.

Kirsten et Chloe avaient fini leur petit déjeuner et papotaient autour de la table lorsque retentit la sonnette de l'entrée.

— J'y vais, lança gaiement Chloe.

Kirsten se leva à son tour pour débarrasser. Elle entendit son amie saluer leur visiteur d'un ton enjoué et sourit en elle-même. Il devait s'agir de John, le petit ami de Chloe. Les deux amoureux s'étaient disputés quelques jours plus tôt, mais Kirsten savait que la brouille ne durerait pas. John venait sans doute tenter une réconciliation.

Quelle ne fut pas la stupéfaction de Kirsten de voir apparaître avec Chloe, non pas John mais Cal!

— Bonjour, Kirsty.

Il offrait l'image même de la décontraction, tant par sa tenue, pantalon kaki et polo beige, que par son allure souriante et détendue. Comme s'il était tout naturel qu'il lui rende ainsi visite le dimanche au petit déjeuner. Quand leurs regards se croisèrent, le souvenir de ce qui s'était passé entre eux la veille lui revint instantanément à l'esprit. A l'émoi qui l'assaillait, s'ajouta l'embarras de sentir son regard la détailler des pieds à la tête.

— Que fais-tu ici ? s'étonna-t-elle. Tu ne devrais pas être à l'aéroport ?

— Oui, et j'y serais si Theo ne m'avait pas téléphoné il y a un instant, complètement affolé.

— Ah bon ? Que se passe-t-il ? demanda-t-elle, inquiète.

— Avant que je t'explique, vous reste-t-il encore un peu de café ? répondit Cal, s'asseyant à table.

Il avait l'air très à l'aise dans le cadre informel de la cuisine, et le voir ainsi, aussi décontracté, avait le don d'exaspérer encore plus Kirsten.

Elle ne daigna pas lui servir du café, mais Chloe s'en chargea, offrant même pour l'occasion une de leurs plus belles tasses en porcelaine…

Cal la remercia et but une gorgée qu'il savoura lentement.

— Excellent, ce café !

— Viens-en au fait, Cal, veux-tu ? Quel est le problème à propos de Theo ?

— Il est contrarié à cause de toi, répondit-il, déplaçant la chaise afin de pouvoir mieux allonger ses jambes. Pour tout dire, il est furax.

— Furax ? Pourquoi, qu'ai-je fait ?

— Il comptait te voir dans l'avion, ce matin. Il y avait différentes choses dont il voulait discuter avec nous pendant le vol.

— Pourtant, quand j'ai appelé le studio, ils étaient d'accord…

— Peut-être mais Theo, lui, n'est pas content du tout.

Kirsten jeta un coup d'œil à la pendule sur le mur.

— Zut ! Il est trop tard pour attraper l'avion… Theo ne pourrait-il pas évoquer ces questions avec moi demain ?

— Non, il a une réunion toute la journée avec l'équipe de tournage. Mais ce n'est pas trop grave, ajouta Cal. Theo m'a exposé quelques-unes de ses idées et m'a confié ses notes. Je lui ai dit que j'irais à San Francisco avec toi en voiture et que nous en discuterions pendant le trajet. Et que demain, aussi, nous pourrions y travailler. Ça l'a rassuré.

— Tu lui as dit quoi ? répliqua Kirsten, horrifiée.

Cal eut un large sourire.

— C'est bon ; inutile de me remercier.

Elle le fixa, incrédule, comme assommée. Six heures ! Pendant six heures, elle devrait le supporter ?

— C'est que… c'est une longue route…, balbutia-t-elle.

— Je ne te le fais pas dire ! Pourquoi donc n'as-tu pas pris l'avion ?

Parce que six heures de route lui avaient paru préférables à une seule petite heure en sa compagnie, voulut-elle répliquer. Mais elle préféra s'abstenir. Lui envoyer de telles amabilités à la figure dans ces circonstances n'arrangerait rien.

— Je comptais m'arrêter en chemin chez mes parents, répondit-elle à la place.

La physionomie de Cal s'éclaira.

— Ça me ferait plaisir de revoir Robert et Lynn !

— Tu plaisantes, Cal !

Là, Kirsten perdit son sang-froid. Chloe, sentant venir l'orage, se retira, les laissant seuls.

Pendant un moment, ni l'un ni l'autre ne dit mot. Puis Cal consulta sa montre.

— Si nous devons faire une halte chez tes parents, mieux vaudrait ne pas trop s'attarder.

— Je ne t'emmène pas chez mes parents, Cal !

— Et pourquoi donc ?

— Parce que… Enfin, tout de même, je ne devrais pas avoir à te l'expliquer ; c'est une simple question de bon sens. Nous sommes divorcés. Mes parents n'auront pas envie de te voir.

L'explication le laissa d'évidence perplexe.

— Et pourquoi ça ?

— Je viens de te le dire. Nous sommes divorcés…

— J'imagine que Lynn et Robert s'en sont rendu compte, depuis le temps.

— Trêve de plaisanteries, Cal… Je ne veux pas que… que tu fasses encore de la peine à mes parents, ajouta-t-elle, la voix tremblante.

— Nous sommes toujours restés en bons termes, remarqua-t-il avec douceur. J'ai beaucoup d'affection et de respect pour eux.

Sa gorge se noua. Pourquoi avait-elle envie de pleurer tout à coup ?

— Peut-être, Cal… Il n'empêche que tu les as fait souffrir.

Il se leva.

— Je sais qu'ils ont été éprouvés par notre divorce. Mais contrairement à toi, Kirsten, ils m'ont gardé assez d'affection pour voir en moi un ami.

— Comment peux-tu en être aussi certain ?

— Juste après notre rupture, ils m'ont envoyé une lettre très touchante, et ils n'oublient jamais de m'adresser leurs vœux au nouvel an.

La surprise de Kirsten n'aurait pas été plus grande s'il lui avait annoncé que son père travaillait comme agent secret pour le FBI.

— Ils ne m'avaient pas dit qu'ils étaient restés en relation avec toi !

Cal la regarda dans les yeux.

— Et pour quelle raison, à ton avis ?

— Je ne sais pas, fit-elle, haussant les épaules.

— J'ai conservé cette lettre. Je te la montrerai un jour, si tu veux. Elle est très émouvante… et d'une étonnante clairvoyance…

— Non, je te remercie, coupa-t-elle sèchement.

Il la considéra un moment en silence.

— Je n'ai peut-être pas été un mari modèle, Kirsten, dit-il d'un ton doux, mais ce n'est pas ma faute si Melanie est morte.

Ces mots l'ébranlèrent comme l'eût fait une puissante secousse.

— Je ne veux pas parler de ça, dit-elle d'une voix blanche.

Elle ne souhaitait pas évoquer ce sujet avec Cal ; elle ne pouvait pas !

Cal parut sur le point de répliquer, de dire quelque chose, mais il dut se raviser. Après l'avoir dévisagée quelques instants, dubitatif, il déclara :

— Nous devrions y aller maintenant. Ce sont tes valises dans l'entrée, je suppose ? Si tu veux bien me donner les clés de ta voiture, je vais les mettre dans le coffre.

Ouf ! Il n'avait pas insisté ! En allant chercher son sac dans l'entrée, elle remarqua une autre valise à côté des siennes, sans doute celle de Cal. Sans un mot, elle lui remit le trousseau de clés.

— Tu es prête ?

— Laisse-moi juste une petite minute.

Il disparut avec les bagages, et Kirsten monta à sa chambre, tremblante. Elle était à bout.

En refaisant ainsi irruption dans sa vie, Cal rouvrait des blessures mal cicatrisées, il ressuscitait tout un pan de souffrances et de frustrations. Et cela, avec une si insolente désinvolture, comme autrefois !

Ses yeux se posèrent sur le téléphone, et en un instant, sa décision fut prise. Elle allait appeler ses parents pour leur dire qu'en définitive elle ne viendrait pas déjeuner. Se retrouver autour de la même table avec eux et Cal était plus qu'elle ne pouvait endurer.

Kirsten composa le numéro ; malheureusement, la ligne était occupée. En attendant de réitérer son appel, elle se mit à arpenter la chambre et, de la fenêtre, aperçut Cal, appuyé contre le capot de sa voiture sous un beau soleil, son téléphone portable collé à l'oreille.

Nouvelle tentative, nouvel échec. La ligne était toujours occupée.

Enfin, la sonnerie tant espérée résonna à son oreille… mais personne ne répondit.

Zut ! Ses parents avaient dû sortir juste après avoir raccroché — probablement avaient-ils des courses à faire en prévision du déjeuner. Nul doute qu'ils seraient déçus en apprenant qu'elle ne venait pas. Et pourtant… Même avec la meilleure volonté du monde, elle ne pouvait faire autrement.

Cal lui demanda depuis le hall si elle était prête, et Kirsten se résigna à le rejoindre. Elle essaierait de contacter ses parents plus tard dans la matinée.

— Si tu veux, nous pouvons aller chez moi prendre ma voiture et je conduirai, proposa-t-il quand ils furent dehors.

— Non, merci, c'est moi qui conduis, décréta Kirsten, s'installant au volant. Et puis, je veux avoir ma voiture quand nous serons à San Francisco.

— Tu pourrais en louer une ; c'est ce que je compte faire.

— J'aime autant avoir la mienne.

Il sourit.

— Sentimentale, Kirsten ? Te serais-tu attachée à cette vieille guimbarde avec le temps ?

Nul doute que comparée à sa Mercedes, avec son tableau de bord digne d'un supersonique, ses sièges de cuir, sa modeste petite Ford faisait bien piètre figure !

— Ma vieille guimbarde me convient amplement, si tu veux savoir !

Quand ils se chamaillaient pour des vétilles comme maintenant, ce n'était pas trop grave, pensa Kirsten. Ce qu'elle voulait éviter, c'était d'évoquer des sujets personnels, plus sensibles.

— Veux-tu que je conduise ? demanda Cal.

Voilà qu'il recommençait ! Cette manie de vouloir constamment diriger la situation !

— Pourquoi ? Ça t'est donc si insupportable d'être conduit par une femme ?

— Au contraire, c'est un plaisir ! Je disais ça pour rendre service, répondit-il avec un grand sourire.

Kirsten fixait la route droit devant elle, sans parler. Ils roulaient maintenant le long de la côte sous un soleil radieux. Quelle belle journée, songea-t-elle, sentant son cœur plus léger. Si elle parvenait à ignorer son passager et se concentrait uniquement sur sa conduite, cela ne devrait pas trop mal se passer.

— Tu n'aurais pas dû tourner à gauche à l'instant ?

Elle secoua la tête.

— Dispense-moi de tes conseils, Cal. J'ai étudié l'itinéraire, je sais où je vais.

Il eut un haussement d'épaules fataliste.

Mais peu après, il ne put s'empêcher de revenir à la charge :

— Il fallait tourner à gauche, j'en suis sûr.

— Au fait, tu ne devais pas me faire part des remarques de Theo ? répliqua sèchement Kirsten.

Il attrapa un dossier sur la banquette arrière et le feuilleta quelques instants.

— Nous y voilà… La scène que nous avons tournée hier, quand nous prenons le petit déjeuner. Theo a visionné les rushes, il trouve que tu ne me regardes pas assez.

— Que je ne te regarde pas assez ? Comment ça ?

— Tu ne gardes pas le contact visuel avec moi suffisamment longtemps, expliqua-t-il, prenant pour cela les intonations théâtrales de Theo. Il n'y a pas assez d'émotion, Kirsten… Il faut plus d'intensité dans les sentiments !

Pas assez d'émotion… Quelle ironie ! Si ce n'avait été aussi pathétique, elle aurait éclaté de rire.

— Theo veut que nous nous entraînions à nous regarder.

Elle crispa stoïquement les mains sur le volant.

— Rassure-moi, tu me fais marcher ?

Il tourna vers elle un regard innocent.

— Non… Il y a là toute une liste d'observations de ce genre, dit-il, brandissant les feuilles dans sa direction.

Kirsten put voir les pages toutes noircies de l'écriture brouillonne de Theo.

— En effet ! Et je suis la seule visée par ces reproches ?

— Non, je n'ai pas été oublié !

Il pointa le doigt au bas d'une page.

— Un exemple… Theo trouve que, quand nous nous disputons pour le partage des tâches ménagères, je dois avoir ma motivation davantage présente à l'esprit.

— Et quelle est-elle, ta motivation ?

— J'ai envie de coucher avec toi.

— Pardon ?

— Oui, c'est l'idée qui me hante, coucher avec toi et…

— D'accord, j'ai compris, interrompit Kirsten, bien assez troublée pour ne pas vouloir entendre la suite.

Cal continuait à feuilleter ses notes.

— Theo m'a signalé quelques scènes que nous devrions particulièrement travailler. Sans quoi, elles risquent de poser problème.

— Quelles scènes ? Et quel problème ?

Il rangea les notes et referma le dossier.

— Si tu veux mon avis, Kirsten, j'ai le sentiment que Theo a tout de suite senti que… nous ne sommes pas vraiment à l'aise l'un avec l'autre… Et pour un film sentimental, c'est un peu gênant, tu en conviendras.

— C'est ce que j'ai essayé de te faire comprendre quand tu as accepté le rôle !

— Nous sommes des professionnels, que je sache. Il existe un moyen simple de créer une symbiose entre nous et de réussir les scènes d'amour…

Kirsten se raidit.

— … Nous n'avons qu'à nous imaginer trois années plus tôt. Par exemple, à notre premier rendez-vous, quand nous étions à la plage, tu te souviens ? Allongés sur le sable au soleil. Rappelle-toi ce que tu ressentais quand nous nous regardions dans les yeux…

Tout autant que les mots, les accents sensuels de sa voix réveillèrent ce souvenir en elle avec une puissance troublante. Elle regarda Cal, et une irrésistible nostalgie lui étreignit le cœur.

Un coup de klaxon impérieux la fit sursauter. Vite, elle reporta son attention sur la conduite.

Quand ils purent rouler plus tranquillement, Cal lui demanda ce qu'elle pensait de son idée.

— Bof… pas très convaincante.

— En as-tu une meilleure ?

La question ne la laissa pas longtemps désemparée.

— Je n'aurai qu'à essayer de m'imaginer avec un autre homme…

D'un regard furtif, elle s'aperçut que sa proposition n'était que modérément appréciée et en conçut une satisfaction sans bornes.

— Et qui sera ton objet de fantasme ? ricana Cal. Pas Jason, tout de même ?

— Pourquoi pas ? J'ai déjà tourné une scène d'amour avec lui et ça s'est très bien passé.

— Ah, oui ? C'est là que le virus de l'amour vous a frappé, peut-être ? Quand vous vous ébattiez face aux projecteurs ?

Kirsten ne broncha pas.

— Tu vas lui manquer quand tu seras à San Francisco. Pauvre Jason… J'espère qu'il ne se languira pas trop.

— Il doit y venir la semaine prochaine, figure-toi, nous avons prévu de nous voir.

— Huit jours loin de toi, et il dépérit. Peut-être est-il mûr pour le mariage. Qui sait, il se peut qu'il vienne pour te le proposer ?

Elle allait répliquer que Jason ne se rendait pas à San Francisco exprès pour elle mais pour affaires, puis se ravisa. Après tout, pourquoi rentrer dans ces détails ? Cela ne regardait pas Cal.

La conversation en resta là, mais Kirsten continua de songer à Jason, troublée peut-être par les réflexions de Cal. L'idée que ce pût devenir sérieux entre Jason et elle ne lui était pas familière. Il l'aimait bien, peut-être plus que bien. Et elle aussi l'aimait bien… mais pas comme on aime un homme avec qui on veut faire sa vie. Malgré tout, elle tenait à garder son amitié.

Cal proposa de s'arrêter boire un café dans un bar qu'il connaissait non loin de là. Elle jeta un coup d'œil à l'horloge du tableau de bord et fut étonnée de constater qu'elle conduisait depuis plus de deux heures.

— D'accord. Comme ça, je téléphonerai à mes parents.

— Pour les prévenir que nous serons en retard ?

— Non. Que je ne viendrai pas.

Elle ne sut ce qu'il en pensa mais lui fut reconnaissante de ne faire aucun commentaire.

Le bar disposait d'une dizaine de tables alignées le long des fenêtres. Ils s'installèrent à l'une d'elles, mais comme aucun serveur ne se présentait, Cal finit par se lever pour passer commande au comptoir.

Kirsten profita de l'aubaine pour appeler sa mère de son téléphone portable. Par chance, Lynn, cette fois, décrocha presque aussitôt.

— Ah, Kirsten, ma chérie ! Où te trouves-tu ?

— Sur la route mais je ne saurais te dire exactement où…

Elle regarda dehors et nota que d'épais nuages arrivaient en masse de la mer, obscurcissant le ciel.

— … mais je ne progresse pas aussi vite que j'espérais. Pour tout dire, maman, je crains de ne pouvoir m'arrêter à la maison.

— Oh, Kirsten ! Ton père va être tellement déçu… Et moi aussi !

Un sentiment de culpabilité l'envahit.

— Comment va papa ?

— Oh, pas très bien. Mais ça lui a fait un tel plaisir quand je lui ai annoncé ta visite ! Il m'a accompagnée faire quelques courses ce matin. Nous pensions que tu arriverais d'ici une heure.

— J'ai encore bien plus d'une heure de route et…

— Ce n'est pas grave, interrompit gaiement sa mère. Prends tout ton temps. Et si tu n'es pas là pour déjeuner, ce sera pour dîner.

Kirsten s'arma de courage et décida d'avouer la vérité :

— En fait, maman, je suis dans une situation un peu délicate. Cal m'accompagne, figure-toi…

— Oh, Kirsten ! s'exclama sa mère, avec un ravissement auquel la jeune femme ne s'attendait guère. Que je suis heureuse ! Tu n'imagines pas ce que ça représente pour ton père et moi. Nous avons lu dans le journal que vous étiez de nouveau ensemble, mais nous n'osions pas espérer… comment dire ?

— Nous travaillons ensemble, maman, c'est tout ! Rappelle-toi, je vous l'ai expliqué quand le contrat s'est conclu.

— Je sais. Et ton père a dit à cette occasion : « Notre fille est toujours amoureuse de Cal, leur couple se reformera. » Mais je n'étais pas sûre…

— Ce n'est pas du tout…

— Que je suis contente qu'il t'accompagne ! s'exclama sa mère sans la laisser terminer. Je me doute que vous avez mille choses à vous raconter et envie d'être seuls ; mais si vous passiez nous dire un petit bonjour, ça nous ferait tellement plaisir ! Ton père serait ravi de revoir Cal. Tu sais qu'il a rendez-vous avec son médecin demain pour les résultats de ses derniers examens. Rien ne le distrairait davantage de ses appréhensions.

Lynn enfonçait le couteau dans la plaie, et Kirsten se sentit plus que jamais tiraillée. Bien sûr, elle voulait voir son père, et le réconforter autant que faire se peut. Mais de là à feindre une réconciliation avec Cal…

Voyant ce dernier revenir, Kirsten abrégea la conversation :

— Ecoute, maman, nous viendrons dîner. J'ai très envie de vous voir, papa et toi ; mais que les choses soient claires, il n'y a rien entre Cal et moi. Nous travaillons ensemble, c'est tout.

— Oui, ma chérie. Nous vous attendons pour la fin d'après-midi, alors ?

— D'accord.

— Et puisque Cal sera là, je lui ferai son dessert favori, une tarte aux pommes ! A tout à l'heure, ma chérie !

Et Lynn raccrocha.

— Un problème ? demanda Cal devant sa mine défaite.

— Oui. Mes parents se figurent que nous sommes de nouveau ensemble. Et pas moyen de faire entendre à ma mère que ce n'est pas vrai !

— Ah bon ? fit Cal, l'air distrait.

— Je n'ai pas pu refuser que nous nous arrêtions les voir. Ils nous invitent à dîner.

— C'est parfait !

— Si l'on peut dire… Je compte sur toi pour démentir ces rumeurs sinon ma mère va se mettre à commander les dragées du mariage.

Il rit.

— C'est à ce point là ?

— Oui !

— Je verrai ce que je peux faire… En attendant, si nous déjeunions ici ?

5.

Il commençait à pleuvoir lorsqu'ils arrivèrent chez les parents de Kirsten. Dans la grisaille de cette fin d'après-midi, les lumières aux fenêtres de la maison apportaient une note accueillante.

Lynn et Robert Brindle habitaient un cottage de bois, tout blanc, surmonté d'un toit pentu qui débordait largement à sa base, laissant place au-dessous à une belle véranda. L'été, ils s'y installaient souvent pour contempler l'océan, si proche qu'ils avaient leur propre petite plage accessible au bout du jardin.

Aujourd'hui, cependant, la bruine brouillait le paysage, au point qu'on ne distinguait même pas le vieux bateau de son père qui mouillait à quelques mètres du rivage.

Même Candy, le golden retriever de la famille, n'était pas dehors. Dès qu'ils descendirent de voiture, néanmoins, la porte de la maison s'ouvrit et la chienne sortit en trombe pour leur manifester sa joie, et si impétueusement qu'elle manqua les renverser.

— J'ai l'impression qu'elle se souvient de moi, dit Cal, accroupi pour la caresser.

— Bien sûr qu'elle se souvient de vous, répondit la mère de Kirsten, s'avançant pour embrasser son ex-gendre qui entrait maintenant dans la maison. Cal, ça me fait vraiment plaisir de vous voir !

— Et moi donc ! répliqua-t-il en lui souriant. Vous n'avez pas changé, Lynn. Toujours aussi ravissante.

— Allons, allons ! Vous êtes toujours aussi beau parleur !

La mère de Kirsten était effectivement une belle femme. Elle avait une soixantaine d'années, des cheveux courts d'un blanc de neige, mais avait gardé la silhouette de ses vingt ans, et un visage aux traits purs comme celui de sa fille.

— Bonjour, maman !

Kirsten planta un baiser sur sa joue. Cal avait raison, pensa-t-elle, Lynn n'avait pas changé depuis la dernière fois qu'il l'avait vue. Hélas, on ne pouvait en dire autant de son père. En l'espace d'à peine quinze jours, date à laquelle remontait la précédente visite de Kirsten, il avait beaucoup changé.

Robert Brindle avait toujours été de constitution solide, comme Cal, mais il avait perdu tant de poids qu'il paraissait tout frêle à présent, comme s'il s'était rétréci.

— Comment vas-tu, papa ? demanda-t-elle, l'embrassant à son tour.

— Quand tu es là, je me sens tout de suite mieux ! dit Robert, l'œil pétillant. D'autant plus que tu as emmené Cal ! ajouta-t-il, se tournant vers celui-ci.

Les deux hommes échangèrent une longue et vigoureuse poignée de main.

— Ça fait chaud au cœur de te voir, fils ! s'exclama Robert d'un ton bourru.

Kirsten sentit sa gorge se serrer. L'accueil que ses parents témoignaient à Cal lui rappelait avec force comme ils l'aimaient autrefois. En fait, Cal était pour eux le fils qu'ils n'avaient pas eu. Son père, particulièrement, appréciait sa compagnie. Comme deux copains, ils parlaient de sport, de pêche… Un week-end, Cal l'avait même aidé à rénover le bateau ; ensemble ils avaient poncé la coque pour la repeindre.

Kirsten se reprocha de n'avoir pas suivi sa première impulsion. Elle n'aurait pas dû emmener Cal. Tous ces souvenirs remués, ce n'était pas bon.

Son père les entraîna dans le salon où brûlait un bon feu de bois. Cal s'installa dans l'un des fauteuils devant la cheminée et présenta ses mains aux flammes.

— Il fait toujours aussi bon vivre chez vous, remarqua-t-il en jetant un regard alentour. Vous avez le piano de Kirsten, je vois. Tu n'en joues plus ? demanda-t-il à l'intéressée.

La question embarrassa Kirsten. C'est Cal qui lui avait offert ce piano en cadeau de mariage ; il trônait autrefois dans leur maison à Los Angeles.

— Il n'y avait pas assez de place pour le mettre dans mon nouveau logement, expliqua-t-elle, mal à l'aise, regrettant après coup d'avoir gardé ce piano par sentimentalisme au lieu de s'en séparer.

— Kirsten joue pour nous quand elle vient nous voir. N'est-ce pas, ma chérie ? dit tendrement son père. C'est un vrai bonheur de l'écouter ; elle n'a rien perdu de son talent.

— Je crois que tu es un peu partial, papa, fit-elle remarquer avec un sourire.

— Non, ton père a raison. Tu es une excellente pianiste. Moi aussi, j'adorais t'écouter jouer, intervint Cal.

Puis, s'adressant de nouveau à Robert :

— Kirsten me disait que vous avez toujours votre bateau ?

— Oui, mais mon *Vagabond des Mers* ne porte plus aussi bien son nom maintenant. Il va finir par rouiller sur place, je n'ai plus la force de l'entretenir. Peut-être qu'avec les beaux jours…

— Si je pouvais, je viendrais volontiers vous aider, lança Cal. Ça me plaisait bien de travailler avec vous sur ce bateau.

— Je sais, murmura Robert, un sourire nostalgique aux lèvres. Nous y avons passé de bons moments.

Quand cela s'arrêterait-il ? pesta Kirsten intérieurement. Elle décida de passer à l'offensive avant que la situation n'empire :

— Au fait, papa… maman, j'ignore ce que vous avez pu lire dans les journaux, mais Cal et moi tenons à faire une mise au point : toutes ces rumeurs selon lesquelles nous serions de nouveau ensemble sont sans aucun fondement. N'est-ce pas, Cal ?

Cal haussa les épaules.

— Les journaux se trompent régulièrement. Imaginez-vous que j'ai lu récemment dans l'un d'eux que Kirsten a trente et un ans ! Tout de même, quelle bourde… Nous savons tous, Kirsten, que tu en as vingt-sept !

Kirsten vit sa mère prête à rétorquer que le journal disait juste, puis se raviser, manifestement.

Aux éclairs amusés qui dansaient dans les yeux de Cal, la jeune femme eut confirmation qu'il se moquait d'elle. Et pour cause, il connaissait pertinemment son âge.

— Ce n'est pas le propos, marmonna-t-elle, irritée. J'aimerais simplement que tu dises bien à mes parents que tout ce que racontent ces journaux sur nous est faux. Nous tournons juste un film ensemble.

— C'est exact, nous sommes de nouveau réunis pour raison professionnelle, acquiesça Cal avec un sourire suave pour changer aussitôt de conversation. Quelle est cette bonne odeur qui me titille les narines ? Vous avez fait de la pâtisserie, Lynn, je me trompe ?

— Non ! C'est votre dessert préféré, de la tarte aux pommes… D'ailleurs, je ferais bien d'aller surveiller mon dîner !

Elle s'éclipsa dans la cuisine, et Kirsten lui emboîta le pas, bien décidée à mettre une bonne fois pour toutes les choses au point. Mais une fois seule avec Lynn, elle évoqua la santé de son père qui la préoccupait.

— Tu disais que papa allait un peu mieux, pourtant il me semble qu'il a encore maigri.

— Il n'a pas d'appétit. Mais à mon avis, c'est la contrariété de se sentir diminué. Tu sais comme ton père a toujours été très actif. Il ne supporte pas de ne pouvoir faire tout ce qu'il voudrait dans la maison… Oh, ce n'est pas un malade facile par moments.

— Je m'en doute… Si mon film ne m'accaparait pas tant, je viendrais t'aider.

— Tu sais, je me débrouille. D'après le médecin, tant que ton père se ménage et prend bien ses médicaments, il n'y a pas à s'inquiéter.

Lynn sortit du four deux belles tartes aux pommes, dont le parfum, relevé de cannelle, embauma toute la pièce.

— Tu n'imagines pas quel bien ça lui fait que tu aies emmené Cal aujourd'hui, poursuivit-elle. Il y a longtemps que je ne lui avais pas vu autant d'allant et de gaieté.

— Mais je ne voudrais pas qu'il se méprenne, s'empressa de souligner Kirsten. Comme je vous le disais, il n'y a rien entre Cal et moi : nous n'avons plus aucune affinité.

— Oui, ma chérie, répondit distraitement Lynn, tout en continuant de s'affairer. Dis-moi, est-ce que je sers ma limonade au repas, ou Cal préférerait-il une bière ?

— Maman…

— Il aimait bien ma limonade maison, je crois ?

Kirsten regarda sa mère avec un mélange d'impuissance et d'exaspération.

— Cal a changé, maman. Il n'est plus le même. Il serait impensable que notre couple se reforme, nous n'avons plus rien en commun…

— Je n'ai pas changé tant que ça, lança alors Cal depuis le seuil, les faisant sursauter l'une et l'autre. J'aime et je déteste toujours les mêmes choses, et votre limonade sera toujours la bienvenue, Lynn.

Ces amabilités valurent à Cal un sourire de la part de Lynn, qui acheva d'exaspérer Kirsten. A quoi jouait-il donc ? Tous deux étaient censés parler d'une même voix, que diable !

— J'ai toujours ma limonade rangée dans le garage. Puis-je vous demander d'aller en chercher une bouteille, Cal ?

— Avec plaisir !

Kirsten le regarda disparaître par la porte de service puis, après une hésitation, lui emboîta le pas.

Dehors, la pluie tombait plus dru. Elle courut dans l'herbe mouillée et s'engouffra à sa suite dans le garage.

— Qui a dit qu'il fait toujours beau en Californie ? lança Cal d'un ton plaisant.

Ce à quoi elle répliqua :

— Je commence à en avoir assez !

— Assez de quoi ?

Il avait allumé la lumière et se dirigeait vers la réserve au fond du garage.

— Tu le sais ! J'attends de toi que tu dises explicitement à mes parents que tout est fini entre nous.

— Je veux bien… mais ce n'est pas aussi simple…

— C'est toi qui compliques tout ! Tu tiens absolument à sauvegarder ton image, à te donner le beau rôle ! Qui n'est pas raisonnable ? Qui a voulu divorcer ? C'est Kirsten ! Mais ce n'est pas vrai, Cal, tu le sais bien. Pourquoi ne leur dis-tu pas simplement qu'il en est ?

— Je n'ai jamais dit à tes parents que tu voulais le divorce. Ils savent très bien à quoi s'en tenir sur ce sujet. Le fond du problème, Kirsten, c'est que ni toi ni moi n'avons pu supporter de perdre Melanie.

— Je ne veux pas parler de ça, dit-elle d'une voix sourde.

— Et même maintenant, après tout ce temps, tu es incapable d'en discuter avec moi… d'admettre les faits. Je n'étais pas là quand tu as eu besoin de moi, Kirsten, et je le regrette, poursuivit-il avec gravité. Mais moi aussi, j'ai souffert, tu sais.

Elle secoua la tête.

— Peut-être as-tu été triste quelque temps. Mais conviens-en, Cal, ce… ce qui s'est passé ne t'a pas perturbé outre mesure.

— Comment oses-tu affirmer une chose pareille ? rétorqua-t-il, indigné. Ce qui s'est passé — pour reprendre ta formule, puisque tu es incapable de l'exprimer autrement — c'est que j'ai perdu mon enfant, et ce n'est pas rien ! Te rends-tu compte, tu n'arrives même pas à prononcer son nom ? Pourtant, nous l'avions baptisée à l'hôpital, souviens-toi. Elle s'appelait Melanie. Melanie, Jane McCormick.

— Je ne veux plus en parler, te dis-je, insista-t-elle, un sanglot affolé dans la voix. Je te demande juste de faire passer le message dont je t'ai parlé à mes parents !

Elle tourna les talons, mais Cal la rattrapa par un bras et, dans son mouvement, fit tomber une housse. Celle-ci protégeait des objets sur une étagère près d'eux — un berceau de bébé ainsi que des peluches et autres jouets pour nourrissons. Tous deux se figèrent à ce spectacle. Le berceau, tout neuf, était encore dans son emballage de plastique.

Kirsten se rappela que sa mère lui avait dit en avoir acheté un pour le bébé à naître… Parcourue d'un frisson, elle se détourna et essaya désespérément de retrouver le fil de leur conversation.

— Je voudrais juste… pouvoir compter sur ton soutien, Cal, articula-t-elle avec peine. Mes parents t'aiment bien, ce n'est pas honnête de leur donner de faux espoirs.

Mais il ne semblait pas l'entendre ; ses yeux étaient rivés sur l'étagère devant eux.

— Quand on pense qu'ils ont gardé là ce berceau depuis tout ce temps…, chuchota-t-il.

Retenant son souffle, Kirsten le vit prendre en main l'un des ours en peluche, le contempler, comme halluciné, puis caresser presque tendrement le jouet du pouce. La scène lui fit un effet violent, comme si on lui comprimait la poitrine.

— Nous avions fondé tant d'espoirs en l'avenir… N'est-ce pas, Kirsten ? murmura-t-il. Seulement, rien ne s'est passé comme nous l'espérions.

— Peut-être était-ce écrit dès le départ.

Elle s'exprima d'une voix basse, presque étouffée par le crépitement de la pluie sur le toit.

— Tu crois ?

Il reporta son attention sur elle et nota comme ses traits étaient tendus.

— Je ne sais pas. Je ne sais plus, confessa-t-elle dans un aveu d'impuissance.

Cal remit la peluche à sa place.

— Si je pouvais revenir en arrière, Kirsten, agir sur les événements, je le ferais, dit-il tout bas. J'aurais tant aimé pouvoir sauver Melanie…

Elle le fixa, bouleversée par ce qu'elle percevait en lui. Un chagrin que son cœur reconnut comme la réplique exacte du sien. Elle en resta suffoquée. Cal lui apparaissait tout à coup sous un jour nouveau, infiniment vulnérable. Cal, vulnérable ? Aussi incroyable que cela pût paraître, la détresse émanait de toute sa personne. Soudain, elle eut envie de le protéger. De le prendre dans ses bras, le consoler. Comment avait-elle pu être aussi aveugle et ne pas se rendre compte que la mort de Melanie l'avait brisé autant qu'elle ?

Le choc de cette découverte s'accompagna d'un profond sentiment de culpabilité. Dire qu'elle l'avait accusé de s'être remis sans difficulté de la perte de leur enfant !

— Tu n'aurais rien pu faire pour sauver Melanie, Cal… Ni toi ni personne, souffla-t-elle.

Il lui effleura la joue de son pouce, un peu comme il l'avait fait auparavant avec la peluche. Ce n'était qu'une petite caresse, mais elle en fut profondément troublée. L'éclat du regard dont il l'enveloppait ne pouvait qu'accroître son émoi. Tous deux se taisaient, unis dans une même puissante et étrange émotion, qui faisait monter en elle une tension à la limite de l'insoutenable.

Soudain, elle se retrouva dans les bras de Cal, leurs cœurs battant au même rythme effréné que la pluie qui martelait le toit.

Elle aurait voulu lui demander pardon, lui dire qu'elle comprenait à présent ce qu'il avait enduré ; mais l'émotion était trop forte ; elle aurait éclaté en larmes aux premiers mots.

Alors, elle se détacha de lui, s'efforçant désespérément de rassembler ses esprits, et se dirigea vers la sortie.

— Kirsten…

Il tenta de la retenir, mais elle ne se sentait pas la force de rester une seconde de plus avec lui.

— Vous n'avez pas trouvé la limonade ? s'étonna sa mère, lorsque Kirsten fit irruption dans la cuisine, encore tremblante.

— Tu as plein de choses inutiles dans ce garage, maman. Tu devrais y faire du rangement.

Sa voix dut la trahir car Lynn répondit :

— Je sais… ça va, ma chérie ?

Elle hocha la tête, et Cal parut à son tour dans la cuisine.

— Cette pluie ne semble pas vouloir s'arrêter !

— Vous avez quand même trouvé la limonade, constata Lynn, à la vue des bouteilles qu'il posait sur la table.

— Oui, tout au fond du garage. A croire que vous l'aviez cachée !

Comment parvenait-il à plaisanter, à être aussi à l'aise après ce qui venait de se passer entre eux ? Kirsten, elle, n'osait même pas le regarder. Cal proposa à sa mère de couper le rôti, ce qu'elle accepta volontiers.

Comme Lynn lui suggérait d'aller tenir compagnie à son père, Kirsten se rendit dans le salon, trop heureuse de cette diversion. Mais son père ne s'y trouvait pas, et elle alla s'asseoir au piano pour l'attendre, laissant courir machinalement ses doigts sur les touches.

Comment avait-elle pu se méprendre à ce point sur Cal, croire qu'il n'avait guère été affecté par la perte de leur bébé ? Comment expliquer son aveuglement face à la souffrance de son mari ?

Kirsten n'aimait pas penser à ces jours noirs, mais elle s'obligea à faire un retour dans le passé pour tenter de comprendre…

Elle avait tant pleuré à la mort de Melanie. Cal, au contraire, s'était montré très fort ; à vrai dire, il n'y avait eu de sa part aucune réelle manifestation d'émotion. Elle en avait conclu à l'époque qu'il n'était pas aussi éprouvé par la mort du bébé — après tout, il ne l'avait pas porté neuf mois durant comme elle, et n'avait pas été présent lors de sa venue au monde.

Cal lui avait demandé un jour si elle lui en voulait de n'avoir pas été là. Elle lui avait répondu que non, et c'était vrai. Ce n'était pas sa faute s'il était absent. D'ailleurs, présent ou absent, cela n'aurait rien changé. Que faire, en effet, contre ces mauvais tours que vous joue parfois la nature ? Dans ce cas précis, c'était le cordon ombilical qui s'était noué autour du cou du bébé…

Kirsten était à deux semaines du terme de sa grossesse. Elle ne se sentait pas bien ce jour-là. Cal avait un rendez-vous de prévu le soir et avait voulu l'annuler ; elle l'en avait dissuadé, arguant qu'elle allait se reposer et irait rapidement mieux ; et que, de toute façon, en cas de besoin, elle lui téléphonerait.

Il était parti depuis moins d'une heure lorsqu'elle avait commencé à ressentir des contractions. Sans s'affoler, elle avait appelé le studio et laissé un message à son intention, puis avait pris un taxi pour l'hôpital.

Lorsque Cal était arrivé, il était trop tard.

Kirsten se rappela le moment terrible où il était entré dans la chambre… Il s'était assis à son chevet et avait voulu la prendre dans ses bras, mais elle s'était dérobée.

Son cœur se glaça à ce souvenir.

Sa main glissa sur les touches du piano, arrachant à l'instrument une série de notes discordantes.

Le sentiment de sa culpabilité la taraudait comme un mal lancinant. Elle avait jugé Cal bien sévèrement. Le fait qu'il ne se soit pas effondré, comme elle, ne signifiait pas pour autant qu'il ne souffrait pas !

Elle s'était trompée, mais lui aussi se trompait sur la raison de leur rupture ! Ce n'était pas, comme il l'affirmait, leur incapacité à supporter la perte de Melanie, non. Ce qui avait brisé leur couple, c'est que Cal l'avait dupée : il l'avait épousée en sachant qu'il en aimait une autre !

— Ça va, ma chérie ?

Son père venait d'entrer et posait la main sur son épaule, mais elle ne put se résoudre à le regarder.

— Ça va…

— Et si tu jouais quelque chose au piano ?

Elle attaqua un de ses morceaux préférés, jouant d'instinct tandis que ses pensées continuaient de bouillonner dans sa tête.

Cela ressemblait bien à Cal de chercher à se disculper ! Mais les faits l'accablaient.

Kirsten se rappela avec la même amertume l'événement qui avait sonné le glas de leur couple, le fameux soir où elle les avait surpris, Maeva et lui, dans les bras l'un de l'autre.

C'était moins de deux mois après le drame. Malgré les protestations de Cal, elle s'était jetée à corps perdu dans le travail pour tenter d'oublier. De toute façon, les rares fois où ils se retrouvaient ensemble à la maison n'avaient plus rien de réconfortant. Mais ce jour-là, exceptionnellement, elle était rentrée plus tôt du studio et avait découvert les deux tourtereaux dans le salon, Cal tenant Maeva dans ses bras. « Tu sais bien que j'aimerais t'accompagner à Londres, lui susurrait-il d'une voix chargée d'émotion, une émotion qui avait brûlé Kirsten au fer rouge. Mais Kirsten a besoin de moi en ce moment, il faut que je reste ici, près d'elle. »

« Je sais… Pauvre Kirsten, comme elle me fait pitié ! »

Entendre cette femme s'apitoyer sur son sort lui avait donné un haut-le-cœur. Elle ne voulait pas de sa compassion, pas plus que de la charité de Cal !

« J'essaierai de te rejoindre plus tard en Angleterre», avait-il promis.

Incapable d'en endurer davantage, Kirsten avait fui la maison et passé des heures à errer sans but au volant de sa voiture, se demandant que faire.

Enfin, elle était rentrée, sans véritable solution. Cal, désormais seul, était sorti à la fenêtre en la voyant arriver.

— Kirsten, où étais-tu ? J'ai téléphoné au studio, ils m'ont dit que tu étais partie il y a plusieurs heures.

— J'avais besoin d'être seule.

Peu après, dans le salon, il lui avait calmement annoncé :

— J'ai décidé de ne pas accepter ce contrat à Londres.

— Inutile de te sacrifier pour moi ; je veux que tu l'acceptes, avait-elle fermement répondu à sa plus grande surprise. Plus tôt tu partiras, mieux ça vaudra. Tout est fini entre nous.

Une fois les mots prononcés, elle s'était sentie plus forte. Comme si elle redevenait maîtresse de son destin…

— Quel plaisir de t'écouter ! C'est toujours le même enchantement, se réjouit Robert.

Elle lui adressa un pâle sourire, consciente que son émotion devait transparaître sur son visage.

— Où en êtes-vous exactement, Cal et toi ? s'enquit son père avec douceur. Et ne me réponds pas que vous travaillez simplement ensemble. Assez de ces sornettes !

— Mais c'est la vérité, papa.

— Allons, Kirsty, tu as beau être une grande fille, je sais quand tu me caches quelque chose. Vois-tu, j'ai l'impression que tu te mens à toi-même et que tu es toujours amoureuse de Cal.

— Non, papa ! Tu te trompes, balbutia-t-elle.

— Ce n'est pas si souvent dans la vie que se représente une occasion d'être heureux, Kirsten. Avant de la rejeter, je te conseille d'y réfléchir mûrement, crois-en l'expérience d'un vieux monsieur.

— Tu n'y es pas du tout, papa. Ce n'est plus comme avant entre Cal et moi. Nous n'éprouvons plus rien l'un pour l'autre.

— Si je me trompe, je le regrette, mais j'aimerais vraiment te revoir heureuse avant… avant que le temps passe. Et Cal est quelqu'un de bien. Réfléchis-y.

6.

— Encore un peu de limonade, Kirsten ? proposa Cal à la faveur d'un répit dans la conversation pendant le dîner.

— Non, merci, répondit-elle en évitant son regard.

Son père poursuivit sa discussion animée avec Cal à propos de football, et Kirsten reporta son attention sur sa mère qui lui demandait où elle logerait durant son séjour à San Francisco.

— Le studio m'a trouvé un appartement ; je te donnerai l'adresse. Mais tu pourras toujours me joindre sur mon portable.

— Combien de temps devrais-tu y rester ?

Elle s'apprêtait à répondre lorsqu'elle entendit Cal déclarer :

— Si vous voulez, Robert, je peux avoir des billets pour le match. Nous pourrions y aller ensemble.

— Vraiment, Cal ? Mais il est quasiment impossible d'avoir des places ! Il va falloir que tu me donnes ton secret ! répondit Robert avec excitation.

— Etre célèbre procure quelques petits avantages, je l'avoue… Pas vrai, Kirsty ? ajouta-t-il avec un sourire.

— Je l'ignore. Je n'ai pas ta célébrité, répliqua-t-elle, laconique.

L'attitude de Cal la révoltait. Au lieu de marquer ses distances par rapport à sa famille comme elle le lui avait demandé, monsieur se comportait au contraire comme s'il avait toujours sa place parmi eux !

— Quelqu'un veut-il encore de la tarte ? lança Lynn à la cantonade.

— En fait, je crois que nous devrions partir, répondit Kirsten. Nous avons encore plusieurs heures de route.

— Pourquoi ne restez-vous pas dormir ici ? Vous partiriez demain matin, puisque vous ne reprenez le travail que mardi. Nous avons si peu l'occasion de nous voir.

Kirsten hésita, sachant comme cela ferait plaisir à ses parents.

— C'est gentil, maman, mais ça n'est vraiment pas possible. Il faut que nous arrivions à San Francisco ce soir. Une journée ne sera pas de trop pour nous installer. Et puis, tu n'as qu'une seule chambre disponible. Où comptais-tu faire dormir Cal ? Dans le garage ?

Ce fut dit sur le ton de la badinerie, mais à la seule fin de faire passer ce message : Cal ne coucherait pas dans sa chambre !

— Il y a un canapé convertible dans ta chambre, fit remarquer sa mère sans se démonter. Après tout, vous avez été mari et femme, vous pouvez bien dormir dans la même pièce pour une nuit.

— Enfin, maman ! protesta Kirsten, outrée.

— Si vous permettez... je ne participerai pas au débat, déclara Robert avec un sourire ironique en se levant. Je vais prendre mes médicaments.

— Ne me regarde pas ainsi, reprocha Lynn à sa fille. Tu peux tout de même partager ta chambre avec Cal. Je ne comprends pas que tu en fasses une telle histoire.

A son tour, Lynn se leva de table puis ajouta :

— Pendant que je prépare le café, tu n'as qu'à y réfléchir.

— C'est tout réfléchi !

Comment sa mère pouvait-elle proposer quelque chose d'aussi insensé ? Kirsten croisa le regard de Cal et y vit une lueur narquoise qui accrut son irritation.

— Quel est le problème ? demanda-t-il, très calme. Tu ne te sens pas capable de te retrouver seule avec moi dans la même pièce ?

— C'est ça ! Je risquerais de commettre Dieu sait quelle bêtise. Te prendre pour une cible de fléchettes, par exemple !

Un sourire réjoui accueillit cette réplique.

— J'adore les jeux en chambre !

Lynn apparut avec le café.

— Alors, qu'avez-vous décidé, Cal ? N'oubliez pas que les routes sont dangereuses avec ce mauvais temps.

— Je sais, Lynn, mais Kirsten a raison. Il vaut mieux que nous partions, dit-il d'un ton de regret.

Toute la déception de Lynn se lut sur son visage.

— Ma foi, s'il le faut, soupira-t-elle. Peut-être est-ce égoïste de chercher à vous retenir mais… c'est que vous me manquez tant.

Dans un élan de tendresse, Kirsten se leva pour la réconforter et promit de revenir leur rendre visite dès que possible.

Lynn esquissa un pâle sourire.

— Je vais voir comment se débrouille ton père avec ses médicaments. Si je ne fais pas attention à lui, il est capable de prendre mes vitamines à la place.

Dès que la porte se fut refermée sur elle, Kirsten ne cacha pas son exaspération.

— Décidément, ces journalistes nous auront fait du tort ! Tous ces articles dans la presse ont vraiment perturbé mes parents !

— Ce n'est pas ce qui perturbe ta mère, Kirsten. C'est simplement qu'elle traverse une dure période avec la maladie de ton père.

Cal s'était levé et commençait à débarrasser le couvert. Sa remarque laissa Kirsten dubitative.

— Essaie de voir le côté positif de la chose, poursuivit-il. Ce qu'ils ont lu dans les journaux leur aura sans doute fait plaisir.

— Mais puisque c'est faux !

— Est-ce si important ? Dans la mesure où ça les aide à surmonter des moments difficiles…

— Bien sûr, c'est important ! On ne peut pas se bercer d'illusions.

Kirsten s'était également mise au travail. Après avoir rempli le lave-vaisselle, elle entreprit d'essuyer les verres de cristal que Cal lavait dans l'évier.

Depuis un moment, toute conversation avait cessé entre eux. Cela faisait une étrange impression à Kirsten de s'activer ainsi avec Cal dans cette cuisine…

La dernière fois qu'ils avaient vécu cette situation, c'était pour leur dernier Noël ensemble, se rappela la jeune femme. Elle était enceinte, et rien n'assombrissait encore leur horizon. Un souvenir lui revint brusquement. Cal avait plaisanté sur le volume de son ventre : il n'y avait pas assez de place pour elle dans cette petite cuisine ; c'était un hangar à avions qu'il lui fallait ! Par représailles, elle l'avait éclaboussé avec l'eau de l'évier. Dans la joyeuse mêlée qui avait suivi, il l'avait tendrement enlacée et lui avait soufflé à l'oreille : « Mais je t'aime quand même. »

Elle prit conscience, avec un cruel serrement de cœur, que ce devait être la dernière fois où Cal lui avait dit qu'il l'aimait.

Le téléphone sonna dans la pièce voisine, et la voix de sa mère leur parvint tandis qu'ils continuaient de s'affairer.

— Ça va ? Tu es bien silencieuse, dit Cal.

— Bien sûr, ça va, répondit-elle d'un ton déterminé.

Il la regardait ranger les verres dans le placard.

— Je voulais te dire, Kirsten, à propos de ce qui s'est passé tout à l'heure dans le garage…

Le souvenir de cette scène, elle et lui enlacés, ressurgit avec force. Troublée, Kirsten voulut changer de sujet.

— Il ne faudrait pas s'attarder, Cal, interrompit-elle.

— Il reste encore des choses dont nous devrions parler, Kirsten, des questions à régler.

— Dans quel but ?

A ce moment-là, elle s'obligea à le regarder. Un pli de contrariété assombrissait son front.

— Ne serait-ce que pour le film. Comment paraître crédibles à l'écran si nous ne pouvons même pas être amis ?

Pour le film. Elle aurait dû se douter que le souci majeur de Cal, c'était le travail…

78

Avant qu'elle ait pu trouver une réponse, Lynn les appela de la pièce voisine. Son ton était pressant. Tous deux sortirent immédiatement voir ce qui se passait.

Robert était assis dans son fauteuil près du feu, le visage blême, et Lynn, penchée au-dessus de lui, demandait s'il voulait qu'elle appelle un médecin.

— Non, ça va s'arranger, murmura-t-il, grimaçant un sourire à sa fille, accourue à ses côtés. Il n'y a pas lieu de s'inquiéter.

Un avis que Kirsten était loin de partager ! Il paraissait si faible !

Cal proposa à son tour au malade de téléphoner à un médecin, mais celui-ci déclina de nouveau l'offre.

— Je vais juste prendre un autre comprimé... Lynn, veux-tu bien aller m'en chercher sur ma table de chevet ?

Lynn disparut aussitôt, et Kirsten s'assit sur l'accoudoir du fauteuil pour entourer d'un bras réconfortant les épaules de son père.

— Tout va bien se passer, dit-elle avec douceur, tant pour le rassurer, lui, qu'elle-même.

— Oui, ça va s'arranger..., répéta Robert. Dis-moi, Kirsten, puis-je te demander une faveur ? s'enquit-il tout à coup.

— Tout ce que tu voudras !

— Pouvez-vous passer la nuit ici, Cal et toi ? Non que je sois inquiet pour moi, mais ta mère apprécierait de vous savoir là. J'ai les résultats de mes examens demain ; et vu ce petit malaise qui vient de m'arriver, elle va se tracasser, je la connais.

Kirsten n'eut pas l'ombre d'une hésitation.

— Bien sûr, nous dormirons ici... Ça ne te dérange pas, Cal ?

— Pas du tout.

Son père les remercia et lui étreignit le bras en témoignage de gratitude.

Sur ce, Lynn reparut avec le médicament et un verre d'eau. Son mari lui annonça gaiement la bonne nouvelle :

— Kirsten et Cal veulent bien passer la nuit ici !

Lynn tourna un regard stupéfait vers sa fille puis, très émue, les remercia à son tour.

Son père se leva alors pour attraper la télécommande de la télévision, se détachant ainsi du bras que Kirsten avait toujours autour de ses épaules. Cette attitude l'étonna quelque peu.

— C'est l'heure de mon émission, expliqua Robert avec un sourire.

Cal et elle échangèrent silencieusement un regard.

— Je vais rentrer nos valises, dit-il. Peux-tu me donner les clés de la voiture ?

Kirsten se leva pour aller chercher son sac dans la cuisine, et vit que Cal lui emboîtait le pas.

— Crois-tu que ce soit grave, pour papa ? lui demanda-t-elle d'un air anxieux. Peut-être aurions-nous dû insister pour appeler un médecin.

Cal ne répondit pas tout de suite.

— Nous n'aurons qu'à demeurer vigilants, et voir comment son état évolue au cours de la soirée. Il a l'air de bien se porter de nouveau.

— Oui… On dirait qu'il est allé tout de suite mieux dès qu'il a su que nous resterions.

Cal hocha la tête, et elle comprit à son expression qu'il se posait la même question qu'elle : son père aurait-il simulé ce léger malaise afin de les inciter à rester ?

Elle n'en dit rien, cependant. Elle pouvait se tromper. Et puis, de toute façon, son père n'était pas en grande forme ; si les avoir à proximité l'aidait à aller mieux…

— Ça ne t'ennuie pas de passer la nuit ici, j'espère ? s'inquiéta-t-elle, se rappelant que Cal s'était finalement résolu à partir.

— Non. Tant que tu ne te sers pas de moi comme cible de fléchettes…

Cette plaisanterie lui arracha un sourire.

Quand elle lui remit les clés de la voiture, leurs doigts se frôlèrent. Ils se figèrent, communiant un court instant par la force de leurs regards, puis elle se détourna.

Après s'être de nouveau assurée que son père allait mieux, Kirsten regagna la cuisine pour refaire du café.

Elle songea à sa petite chambre à l'étage. Une fois le canapé déplié, il ne resterait guère de place dans la pièce pour évoluer… Comment allait-elle bien pouvoir passer toute une nuit dans ce lieu confiné avec Cal ? Sa main sur la cafetière était agitée d'un léger tremblement. Elle entendit la porte d'entrée s'ouvrir puis se refermer ; Cal revenait avec leurs bagages.

Lui non plus ne devait pas être très chaud pour qu'ils dorment dans la même pièce. Partager sa chambre avec son ex-femme n'avait rien d'enthousiasmant. Peut-être préférerait-il passer la nuit en bas dans le salon ?

Quand elle apporta le café, Kirsten aborda le sujet :

— Au fait, je pensais que Cal pourrait peut-être dormir ici sur le canapé.

— Kirsten, ce canapé est bien trop petit ! protesta sa mère.

— Soit. C'est moi qui dormirai ici.

Cal reparut sur ces entrefaites.

— Cal, essayez de raisonner Kirsten, le supplia Lynn. Voilà qu'elle envisage maintenant de dormir sur le canapé du salon.

Cal regarda Kirsten, puis haussa les épaules.

— A mon avis, je suis la dernière personne dont Kirsten suivrait les conseils.

La jeune femme but son café à petites gorgées, consciente qu'un silence de plomb s'était abattu dans la pièce.

— Ça ne me dérange pas de dormir sur le canapé, fit-elle. Avec une bonne couverture… Et puis, ce sera agréable d'être près du feu.

Elle crut que Cal allait galamment proposer d'y dormir à sa place, mais il se contenta de déclarer :

— Si ça te plaît de jouer les martyrs…

Le monstre ! Kirsten dissimula son dépit derrière sa tasse, et préféra ne pas relever.

Soudain, Robert fit littéralement un bond sur dans fauteuil.

— On parle de vous à la télé ! s'exclama-t-il, le doigt pointé vers l'écran. C'est Sandy Peterson d'*Info Star* ! On va vous voir dans un instant : elle vient de l'annoncer !

Kirsten s'empressa de finir son café. Regarder cette interview eût été le coup de grâce dans ces circonstances. La vue de Candy, assise près de la porte, lui fournit un prétexte pour se défiler.

— Je vais sortir la chienne.

A peine le battant entrouvert, Candy se rua dehors dans la nuit. Il faisait frais ; une petite brise soufflait de la mer, mais la pluie avait cessé.

Candy, tout heureuse, se mit à tournoyer autour d'elle avec des aboiements joyeux. Peut-être son père ne se promenait-il plus aussi souvent avec la chienne qu'il en avait l'habitude, se dit Kirsten. Elle repensa avec émotion à ses paroles. « J'aimerais te voir de nouveau heureuse avant… avant que le temps passe. Et Cal est quelqu'un de bien. »

Avait-il voulu dire : avant qu'il ne soit trop tard ? Ou pire, avant qu'il ne soit plus là ? Etait-il gravement malade ? Une bouffée d'angoisse l'oppressa. Certes, personne n'était éternel, mais son père n'avait que soixante-dix ans…

La voix de Cal qui l'appelait la surprit dans ses sombres réflexions. Elle se retourna et l'aperçut qui approchait sur le sentier.

— Tu n'es pas très couverte, tu vas attraper froid, dit-il en lui tendant un lainage.

Elle le remercia d'un sourire, consciente que cela ne lui déplaisait pas qu'il l'ait suivie.

— Ça va ; je n'ai pas vraiment froid.

Elle le laissa néanmoins l'aider à enfiler la veste.

— Je venais juste te prévenir que tu peux rentrer. L'interview est terminée, l'informa-t-il avec un sourire.

— Merci. Mais j'avais de toute façon envie de me dégourdir les jambes.

— Avant de te retrouver ankylosée sur le canapé ?

— Probablement…

Il sourit.

— Ça ne t'ennuie pas que je t'accompagne ? J'ai besoin de prendre l'air, moi aussi.

— Non… Au contraire, ça me fait plaisir, ajouta-t-elle dans un élan de franchise.

— Tu t'inquiètes pour ton père, je suppose ?

— Oui.

Ils longèrent le sentier descendant à la plage. Tout était calme, serein. Seuls le coassement des grenouilles et le bruit des vagues sur les galets troublaient le silence de la nuit.

— Pourquoi ne m'as-tu pas dit que ton père avait eu une crise cardiaque ? demanda soudain Cal.

— Je pensais te l'avoir dit.

— Non. Tu m'avais juste parlé de problèmes de santé et d'examens qu'il avait passés.

— En fait, c'est grâce aux résultats de ces examens que nous avons su qu'il avait eu une crise cardiaque… De toute façon, Cal, je ne vois pas pourquoi je devrais te tenir au courant de tout, ajouta-t-elle entre ses dents. Tu ne fais plus partie de la famille.

— J'avais espéré que nous ferions abstraction de nos différends, Kirsten, dit-il avec douceur. Ne fût-ce que pour le bien de tes parents.

La remarque la mit mal à l'aise, lui faisant prendre conscience de son égoïsme. Cal avait raison. Si les voir ensemble faisait du bien à son père, pourquoi ne pas jouer le jeu quelque temps ? Mais cela supposait de se libérer de ce ressentiment qu'elle éprouvait pour Cal ; et elle redoutait ce qui viendrait le remplacer.

Ils avaient atteint le rivage et s'arrêtèrent pour contempler l'océan. Le ciel s'était dégagé, la lune brillait, majestueuse, telle une énorme lanterne chinoise au-dessus de l'horizon.

Candy, impatiente de poursuivre la promenade, se mit à japper. Cal lui jeta un bâton, loin sur la plage.

— Franchement, que penses-tu de l'état de santé de mon père ? demanda Kirsten à brûle-pourpoint.

— Je ne suis pas médecin, Kirsten, mais d'après les détails qu'il m'a donnés, il n'y a pas lieu de s'inquiéter. Cette crise cardiaque aura été un avertissement, et il se dit bien décidé à en tenir compte.

— Tu crois ? murmura-t-elle, tournant vers lui un regard plein d'espoir.

— Oui. Ton père est un homme solide.

C'était étrange, ce pouvoir qu'avait encore Cal de la rassurer... Elle n'avait qu'à l'entendre lui parler pour se sentir tout de suite mieux. Il se dégageait une telle force de lui !

Mais n'était-ce pas justement cette force qui l'avait induite en erreur autrefois ? Ne lui avait-elle pas dissimulé le chagrin de Cal ? A le voir si solide, inébranlable, elle en avait déduit qu'il n'avait pas besoin d'elle et, du coup, l'avait exclu. Etrangement, tout cela lui apparaissait maintenant.

— Ça m'a fait vraiment plaisir de revoir tes parents, lui confia Cal, alors qu'ils regardaient la chienne courir sur la plage.

— Manifestement, c'est réciproque.

Cal s'était toujours senti à l'aise avec eux. Il lui disait souvent qu'elle avait de la chance d'avoir ses parents, qu'elle devait en être consciente. Sans doute y était-il d'autant plus sensible que lui-même avait perdu son père et sa mère à quatorze ans dans un accident de voiture. On l'avait envoyé chez une tante en Angleterre, pays où il avait vécu jusqu'à la fin de l'adolescence.

— Quelle impression cela t'a fait de retrouver l'Angleterre ? se risqua-t-elle à lui demander.

— Ce n'était pas désagréable. Le pays a beaucoup changé depuis que je l'avais quitté, mais Londres est toujours aussi formidable.

— As-tu vu ta tante May ?

— Oui, plusieurs fois. Elle va bien... Elle m'en veut toujours un peu de t'avoir épousée si vite, la privant du plaisir d'assister au mariage.

— Vu ce qu'il en est advenu, peut-être était-ce aussi bien, murmura Kirsten.

— Je lui ai promis de me racheter la prochaine fois que je me marie-rai ; je lui offrirai une belle robe et une capeline de chez Hartley's pour la cérémonie.

Ces paroles procurèrent à Kirsten une bien singulière sensation.

— Parce que tu envisages de te remarier ?

— Pas tout de suite. Mais j'ai trente-huit ans, Kirsten, dit-il en lui souriant. Il serait peut-être temps que j'y songe si je veux fonder une famille…

Le bruit des vagues frappant le rivage lui parut soudain plus violent, à moins que ce ne fussent les battements de son cœur.

— Et toi, Kirsten ? As-tu des projets dans ce domaine ?

Kirsten secoua la tête. Elle se sentait un peu comme Candy, qui courait à présent en tous sens dans le noir. Elle avait trente et un ans, et peut-être devait-elle penser aussi à l'avenir. Mais en vérité, elle n'était pas sûre d'avoir le courage de retenter l'aventure d'une vie à deux.

— Je ne sais pas, confessa-t-elle. Franchement, Cal, je ne sais pas.

— Ce n'est donc pas si sérieux entre Jason et toi ?

— Je n'ai pas dit ça.

Elle enfouit les mains dans les poches de sa veste, s'efforçant de ne pas grelotter sous les assauts du vent qui s'était levé.

— Jason est un garçon charmant, murmura-t-elle.

Au moment où elle prononçait ces mots, elle se demanda dans quel but elle jouait cette comédie à propos de Jason. Elle leva les yeux vers Cal. Une partie d'elle-même aurait aimé tomber le masque, avouer que Jason n'avait jamais représenté pour elle un mari potentiel. Mais elle avait peur.

Depuis un moment, Cal la fixait en silence, et elle se sentit de plus en plus mal à l'aise. Mal à l'aise et vulnérable, comme s'il pouvait lire en elle.

— Pourquoi me regardes-tu ainsi ?

— J'aime te regarder… Tu as un visage vraiment fascinant.

— Est-ce pour t'entraîner comme nous l'a demandé Theo ? répon-dit-elle en plaisantant.

— A mon avis, Theo s'inquiète bien plus de tes difficultés dans ce domaine que des miennes.

— Evidemment. Toi, tu es parfait !

Il sourit.

— Si tu le dis…

Elle se détourna pour appeler Candy qui s'éloignait hors de vue vers les rochers.

— Est-il arrivé que je te manque ? s'enquit soudain Cal.

— Pardon ?

Elle fit mine de n'avoir pas entendu pour se donner du temps.

— Depuis notre séparation, Kirsten, y a-t-il eu un jour ou un moment où je t'ai manqué ?

Question embarrassante… La vérité, c'est qu'il lui avait beaucoup manqué. Au début, elle l'avait imputé au fait qu'elle habitait toujours leur maison, et que tout lui rappelait Cal. Elle se souvint de ces jours où elle avait eu désespérément envie de lui parler, lui poser des questions. De ces soirs où elle s'était surprise à mettre la table pour deux, et de l'accablement qui s'ensuivait lorsqu'elle prenait conscience qu'il n'était plus là.

Elle s'était installée ensuite à New York, pensant que ce déménagement l'aiderait à oublier Cal. Mais non… Il lui avait manqué si cruellement parfois qu'elle en pleurait, seule dans son lit. Pourtant, elle ne lui dirait rien de tout cela : c'était une époque révolue.

Mais il fallait répondre, et elle feignit de réfléchir à sa question avant de déclarer, l'air dégagé :

— Non… je ne crois pas. Désolée si ça blesse ton amour-propre.

Il eut un haussement d'épaules.

— Toi, tu m'as manqué, murmura-t-il.

— Ça m'étonnerait, Cal, dit-elle, la bouche sèche. Ou alors, si je t'ai manqué, c'est juste à cause de ce que je représente.

Un haussement de sourcils un peu moqueur accueillit cette remarque.

— Ce que tu représentes ?

— Oui, le fait d'avoir une épouse…

Il ne parut pas partager cet avis.

— Où en est la situation avec Maeva ? demanda-t-elle tout à coup. Est-elle toujours avec son mari ?

Il marqua une légère hésitation :

— Oui… elle est toujours mariée.

Dès que le nœud qui lui serrait la gorge le lui permit, Kirsten déclara :

— Nous pourrions rentrer maintenant. J'ai froid.

Ils venaient de rebrousser chemin lorsque Candy arriva en courant, portant un bâton si gros qu'il tenait difficilement entre ses mâchoires. Elle le laissa tomber à leurs pieds. La scène arracha un sourire à Kirsten.

— Ma pauvre Candy ! Comment veux-tu que nous te le lancions ? Il est trop lourd. Et de toute façon, il est l'heure de rentrer.

Comme elle la caressait, Candy se dressa sur ses pattes arrière et s'appuya contre elle pour mieux lui témoigner sa reconnaissance. Mais la chienne avait les pattes toutes mouillées.

— Candy… arrête !

En reculant, Kirsten buta en plein contre Cal, qui d'instinct la retint par la taille. Ils demeurèrent un instant ainsi l'un contre l'autre sans bouger, comme pétrifiés. Aussitôt le désir la submergea, d'une intensité à lui couper le souffle. Alors que tout en elle ne demandait qu'à s'abandonner, il lui fallut puiser dans ses dernières réserves de volonté pour s'écarter…

— Excuse-moi, fit-elle entre ses dents.

Puis elle appela la chienne afin de mieux dissimuler son trouble, et ils regagnèrent en silence la maison.

7.

— Tu as manqué l'interview, annonça son père à Kirsten d'un ton de regret lorsqu'elle reparut avec Cal.

— Oh, ce n'est pas grave, répondit-elle avec un sourire. J'en connaissais le contenu. Encore ces sottises auxquelles nous a habitués Hollywood.

— Que tu étais belle, s'exclama sa mère. Tu avais une robe magnifique !

— C'est vrai, elle était très belle, approuva Cal derrière elle.

— Bien, je crois que je vais aller prendre une douche, sinon je finirai par attraper la grosse tête ! plaisanta la jeune femme.

Robert se leva et annonça qu'il allait se coucher ; Lynn fit de même. On se souhaita mutuellement bonne nuit.

Kirsten fut heureuse de constater qu'après les embrassades, Cal se rasseyait sur le canapé. Au moins lui laissait-il la disposition de sa chambre pour se déshabiller. C'était bien la moindre des politesses, pensa-t-elle avec aigreur.

Ses parents dormaient au rez-de-chaussée, et la chambre de Kirsten se trouvait à l'étage, sous les combles. On y accédait par un escalier de bois qu'elle gravit d'un pied léger.

C'était une pièce lumineuse, aux murs blancs, que réchauffaient des meubles anciens achetés pour la plupart dans des brocantes, et que son père avait restaurés avec amour. A l'origine, elle était équipée d'un petit lit, mais ses parents l'avaient remplacé par un lit à deux places quand Kirsten s'était mariée.

En franchir le seuil réveillait toujours en elle un flot de souvenirs. C'était sa chambre depuis qu'elle avait quitté l'Angleterre à onze ans pour s'installer en Californie avec ses parents. Beaucoup de ses amies avaient dormi là, sur le canapé ; elle se souvint des longs conciliabules dans la nuit, des jeux, des fous rires.

Elle se remémora aussi des jeux d'une tout autre nature — ceux qu'elle avait joués avec Cal lorsqu'elle l'avait emmené un week-end et qu'ils s'étaient serrés tous deux dans son petit lit...

Et dire que maintenant, elle ne supportait même pas de dormir dans la même chambre que lui.

Après avoir sorti sa trousse de toilette de sa valise, Kirsten s'installa devant la coiffeuse pour se démaquiller. Comme tous les soirs, elle brossa ses cheveux avec soin puis, munie de son peignoir et de sa chemise de nuit, se rendit dans la salle de bains.

Elle eut la surprise d'y trouver Cal en train de se raser, vêtu en tout et pour tout du drap de bain qu'il avait noué autour de ses reins.

Elle essaya de ne pas laisser son regard s'attarder sur lui plus qu'il ne fallait. Mais il était si beau, si superbement bâti... Kirsten ne put s'empêcher malgré tout d'admirer la splendeur de son torse nu et sa puissante carrure.

— Je suis désolée... je ne savais pas que tu étais là.

— C'est bon. J'ai presque terminé, dit-il en lui adressant un sourire par le biais du miroir.

Il passa le rasoir sous le filet d'eau du robinet puis le fit glisser sur l'arête de sa mâchoire à travers la mousse. Sans savoir pourquoi, elle resta là à l'observer. C'était une scène tellement familière... Et le fait même qu'elle fût si familière avait quelque chose d'extrêmement dérangeant.

Voyant qu'elle ne bougeait pas, Cal se tourna vers elle, l'air interrogateur. Cette fois, elle s'arracha à sa fascination et battit en retraite, confuse, en bredouillant une excuse.

Dans la chambre, Kirsten essaya de trouver une explication à cet incroyable comportement. Eh bien, oui, Cal avait un physique extraordinaire. Mais elle le savait déjà ! Alors pourquoi cette fascination? Et pourquoi ce désir qui soudain l'avait submergée ?

Elle se passa fébrilement la main dans ses cheveux, irritée par sa propre attitude. Etait-ce très mal de fantasmer sur un homme que l'on n'aimait pas ?

La porte de la chambre s'ouvrit.

— La salle de bains est libre, l'informa Cal tout en entrant.

Il n'était pas plus vêtu que tout à l'heure, et Kirsten eut l'impression d'étouffer en se retrouvant ainsi dans cette minuscule chambre avec lui. Elle se hâta vers la porte, évitant de le regarder tandis qu'il rabattait le dessus-de-lit.

— Tu tiens toujours à dormir en bas ? Il est encore temps que je déplie le canapé.

— Non, ça ira, je te remercie.

— Bonne nuit, lui lança-t-il nonchalamment.

— Bonne nuit.

Une fois dans la salle de bains, Kirsten laissa échapper un long soupir pour apaiser la tension de ses nerfs. Le jet vigoureux d'eau chaude l'aida à se sentir mieux.

Quand elle redescendit dans le salon en chemise de nuit, elle y trouva Candy endormie devant la cheminée, où quelques bûches achevaient de se consumer. La chienne souleva paresseusement une paupière, et Kirsten aurait juré qu'elle semblait surprise. « Que diable viens-tu faire ici ? semblait demander Candy. Tu es folle ! » Puis elle se rendormit.

La chienne avait probablement raison, dut convenir Kirsten quand elle voulut s'étendre sur le canapé. Du moins, y trouver une position la moins inconfortable possible, car il eût fallu être un enfant pour pouvoir s'y allonger. Trouver une place pour l'oreiller qu'elle avait apporté était quasi impossible et elle se résigna finalement à le poser sur l'accoudoir.

Une fois une position adoptée, Kirsten ferma les yeux et pensa à son père, espérant de tout cœur que sa santé s'améliorerait. Puis elle se rappela qu'avant le dîner, il l'avait accusée de se mentir à elle-même, d'être toujours amoureuse de Cal. C'était faux ! Certes, il existait toujours une attirance entre eux, mais elle était purement physique. On ne pouvait bâtir une vie à deux uniquement sur cette base. Même si leur relation était exceptionnelle sur ce point… et même si leurs étreintes lui manquaient.

Cal aussi lui manquait, s'avoua Kirsten. Il avait le don de la faire rire… et il était toujours si tendre à son égard.

Tout à coup, un léger bruit s'éleva dans la pièce ; Candy s'était mise à ronfler.

Cela tournait au cauchemar ! Kirsten s'assit. Autant se faire une raison, elle ne parviendrait jamais à trouver le sommeil. Peut-être serait-elle plus à l'aise si elle posait les coussins par terre et s'allongeait dessus ?

Elle les sortit du canapé et commença de les installer.

— Tu n'arrives pas à dormir ?

La voix de Cal sur le seuil la fit sursauter. Elle dut écarquiller les yeux pour le voir dans l'obscurité.

— Non, admit-elle. Toi, non plus ?

— Non. Je t'entendais ronfler.

— Ce n'était pas moi, c'était Candy !

— Tu es sûre ?

Au ton, elle comprit qu'il la taquinait.

— Que fais-tu au juste ? demanda-t-il.

Il alluma la lumière. Elle cligna des yeux, éblouie, notant cependant avec soulagement qu'il portait un peignoir.

— Je m'installe par terre… Au risque de paraître paranoïaque, je soupçonnerais presque mon père d'avoir dressé Candy pour me déloger d'ici et m'obliger à dormir là-haut avec toi.

— Et ce serait peut-être préférable, non ?

Comme elle tentait de s'allonger, Cal ajouta :

— Allez, viens, Kirsten, il est tard. Ça frise le ridicule. Tu ne peux pas passer la nuit ici.

— J'en ai l'impression…, soupira-t-elle. Où dors-tu, dans le lit ou sur le canapé ?

Résignée, elle s'était levée.

— Dans le lit. Mais je suis galant, je veux bien te le céder ; je dormirai sur le canapé.

— Galant ! ricana-t-elle. Si tu l'étais, tu aurais proposé dès le départ de dormir ici !

Cela le fit sourire.

— Excuse-moi, mais j'ai mes faiblesses ; j'ai besoin d'un certain confort.

Sur ce, il tourna les talons et s'en fut.

Etait-il bien sage de le suivre ? se demanda Kirsten, saisie d'un ultime doute. Puis elle éteignit la lumière et monta lentement l'escalier.

La chambre était presque dans une obscurité totale et il lui fallut quelques secondes pour que ses yeux s'y habituent. Elle réussit à distinguer Cal, allongé sur le canapé. Pour ne pas risquer de tomber sur lui en passant, elle le contourna mais heurta une chaise et se fit mal à l'orteil. L'instant d'après, elle butait contre la coiffeuse, renversant en prime plusieurs flacons.

— Aussi adroite qu'un petit éléphant, commenta ironiquement Cal depuis le canapé. Pourquoi n'allumes-tu pas simplement la lumière ?

— J'y suis arrivée, répliqua-t-elle d'un ton bref.

Le temps d'enlever son peignoir, et elle se glissa avec soulagement dans le lit. Une délicieuse sensation l'envahit au contact de ses draps, encore tout chauds du corps de Cal. De plus, il lui sembla reconnaître l'odeur de son eau de toilette sur l'oreiller, celle-là même qu'elle lui avait offerte à l'occasion d'un anniversaire. Ce parfum boisé, sensuel, que depuis lors elle associait intimement à Cal, l'emplit d'un trouble mêlé d'une irrésistible nostalgie.

— Te souviens-tu du premier week-end où tu m'as emmené ici ? demanda soudain Cal.

— Bien sûr que je m'en souviens.

— Quels bons moments nous avons passés…

Elle ne répondit pas et essaya de toutes ses forces d'éloigner de son esprit les images qui l'assaillaient.

— Nous avions fait une promenade en bateau, le samedi. Il me semble que je nous revois…

Ouf ! Au moins n'évoquait-il pas ce à quoi elle pensait, leur nuit dans cette même chambre.

— La mer était d'huile. Nous avons coupé le moteur et nous nous sommes laissé dériver doucement…

Cette évocation raviva la scène dans son esprit— le bateau se balançant mollement au soleil, le clapotis de l'eau contre la coque. Et eux, si heureux.

— Nous avons commencé à rêver tout haut de l'avenir, se souvint Cal. Toi, tu te voyais chanter pendant encore trois ans puis te marier et avoir trois enfants.

— Et toi, tu voulais une maison au bord de la mer comme celle-ci, et un grand voilier pour naviguer dans les Caraïbes.

— Ce n'était pas si mal comme rêve… Et il devait te plaire aussi puisque tu m'as demandé s'il y aurait de la place pour toi sur mon bateau, je me souviens.

Une bouffée d'émotion l'assaillit au souvenir de ce que Cal lui avait répondu, très tendrement à l'oreille : « Je n'imagine pas aller où que ce soit sans toi… »

— Heureusement que nous ne pouvions deviner ce que nous réservait l'avenir, murmura Kirsten avec tristesse. La vie m'aura appris qu'on n'est pas maître de son destin. Et qu'il ne sert pas à grand-chose de faire des projets.

— Il vaut mieux tout de même en faire quelques-uns que de se laisser porter par les événements, objecta doucement Cal.

Depuis longtemps, Kirsten n'avait pas eu de véritables projets, elle n'osait plus rêver. Et elle se laissait porter, oui, un peu comme un bateau perdu dans le brouillard, à la dérive.

— Bonne nuit, Cal, dit-elle pour mettre un terme à la conversation.

Couchée sur un flanc, elle lui tournait le dos maintenant, mais malgré la fatigue accumulée après cette longue journée, le sommeil ne venait pas. Les événements de ces dernières heures défilaient dans sa tête, la tenant en éveil.

— Cal, tu dors ?

— Non.

— J'étais en train de penser…

— Ce n'est pas bon de trop penser.

— Cal, je suis sérieuse !

Elle se redressa sur son séant, et il se tourna vers elle.

— Qu'y a-t-il ?

— Je n'arrête pas de penser à… à ce que je t'ai dit tout à l'heure dans le garage… Que la mort de Melanie ne t'avait pas trop perturbé. Je ne le pensais pas vraiment, articula-t-elle, le regardant dans le noir.

— Je sais, murmura-t-il d'une voix douce.

— Cal ! Cal, non… ne sois pas gentil avec moi ! Je ne le mérite pas… C'était terrible comme accusation !

Il se leva et vint s'asseoir près d'elle sur le lit.

— Tu étais en colère, Kirsten.

Elle secoua farouchement la tête.

— Ce n'est pas une excuse. Maintenant, quand je repense à Melanie, je me rends compte que je n'ai pas bien mesuré ta douleur à l'époque et que…

— Kirsten, pour l'amour du ciel…

Il allait allumer la lampe de chevet, mais elle retint son bras.

— Non, n'allume pas… laisse-moi terminer, Cal. Il y a quelque chose que je veux que tu saches.

Il prit sa main, toujours posée sur son bras, et la serra dans la sienne.

— Je ne t'en ai jamais voulu de n'avoir pas été là quand Melanie est morte. Je m'en suis voulu à moi.

— Comment as-tu pu, Kirsten ?

Manifestement, cela le surprenait.

— Parce que c'était ma faute ! C'était moi la responsable ! Souviens-toi, je ne me sentais pas bien ce jour-là, et néanmoins je t'ai dit de partir, que cela allait s'arranger. Si je n'avais pas agi ainsi, peut-être que… peut-être que les choses se seraient bien passées.

A cet instant, les larmes contre lesquelles elle luttait depuis un moment la submergèrent. Et elle conclut dans un sanglot :

— Donc, tu vois, ce n'était pas ta faute… c'était la mienne…

— Allons, Kirsty, tu ne peux pas dire cela, murmura Cal d'une voix apaisante, tout en l'enlaçant pour l'attirer contre lui. Ce n'était la faute de personne.

— Si ! Si j'étais partie plus tôt à l'hôpital…

— Tu ne peux pas voir les choses ainsi, insista Cal avec douceur mais fermeté.

— Il n'y a pas d'autre façon de les voir, Cal. J'ai manqué à mes obligations. Envers toi, envers Melanie. Ensuite, je me suis enfermée dans mon chagrin, je me suis comportée de façon égoïste. Et c'est seulement aujourd'hui que j'ai pris conscience que tu avais souffert ; donc, je voulais te demander pardon et…

Interrompant ce flot de paroles, il l'écarta légèrement de lui.

— Kirsten ! Calme-toi. Tu sais que je suis très… très attaché à cette femme que tu accables de tous les maux, et je tiens à dire qu'elle ne mérite pas d'être traitée ainsi. La Kirsten que je connais n'est en aucune manière égoïste. Et elle n'a rien à se reprocher.

Tout en parlant, il essuyait délicatement les larmes qui perlaient sur le visage de la jeune femme.

— Pourquoi est-ce que je perçois les choses ainsi, alors ?

— Parce que tu les as gardées trop longtemps refoulées en toi. Et que ton idiot de mari n'a pas su que dire ou que faire pour arranger la situation.

Cette remarque la fit sourire malgré elle.

— Idiot… C'est bien le dernier qualificatif qui me viendrait à l'esprit à ton propos, Cal.

— Toi non plus, ne sois pas trop gentille avec moi, répliqua-t-il malicieusement. Il ne serait pas impossible que je profite de la situation.

Elle s'abandonna de nouveau contre lui, et se retrouva contre son torse découvert par l'échancrure du peignoir. Sa chaleur lui procura une singulière sensation de réconfort. Et sentir son parfum, encore si incroyablement familier, ne fit qu'accroître son bien-être.

Cette étreinte avait quelque chose d'infiniment apaisant… Combien de fois pendant ces deux ans n'avait-elle rêvé d'un pareil instant de tendresse ?

Elle glissa la main dans l'encolure du peignoir, caressa le torse ferme de Cal avant de remonter lentement vers ses épaules, heureuse de sentir les muscles se contracter au passage de ses doigts.

— Kirsten.

Elle perçut la note d'avertissement dans sa voix mais ne voulut pas en tenir compte.

— Kirsten… ?

— Peut-être que ça ne me dérangerait pas, Cal, que tu profites de la situation, souffla-t-elle. Juste pour une fois…

Elle leva la tête pour poser les lèvres sur les siennes, les embrassant par petites touches. Comme il ne répondait pas à son invite, elle laissa échapper un gémissement de frustration et se pressa plus étroitement contre lui, repoussant le peignoir au fur et à mesure qu'elle le caressait.

— Serre-moi fort, Cal, chuchota-t-elle, éperdue. J'ai besoin d'être aimée… J'ai besoin de toi.

Elle l'embrassa de nouveau, et Cal lui rendit cette fois son baiser avec tant d'ardeur qu'elle chavira littéralement sous la violence du désir.

Allongée en travers du lit, elle s'offrit aux mains de Cal qui la déshabillaient. L'impatience fiévreuse dont il témoigna ne fit qu'accroître son excitation.

Elle n'était plus en état de penser. De toute façon, plus rien désormais n'aurait pu arrêter le tourbillon fou de la passion qui s'était emparée d'elle. Plus rien ne comptait pour elle que le bonheur de cette étreinte ; elle n'existait plus que par et pour les sensations que Cal suscitait en elle. Il y avait si longtemps que sa féminité était étouffée qu'elle doutait presque qu'elle existât encore. Mais maintenant, elle avait l'impression de renaître à la vie ; les frissons de la volupté tiraient son corps de son sommeil, comme la terre revit aux premiers rayons du soleil après les longs froids de l'hiver.

Et avec quelle intensité ! Cal déposait des baisers éperdus sur ses seins, sa bouche s'attardant sur chaque pointe tour à tour, jouant avec elles du bout de la langue, plongeant Kirsten dans le plus délicieux des tourments.

Lui aussi était nu à présent. Allongé sur elle, il épousait intimement son corps. Et elle aussi l'étreignait, le caressait, exaltée par la puissance qu'il dégageait. Quand enfin il la fit sienne, ce fut comme un éblouissement…

Cal était un expert dans les jeux de l'amour. Il avait toujours su comment la faire trembler de désir, comment l'amener à la volupté suprême. Et si elle avait pu l'oublier, il se chargea de lui rafraîchir la mémoire.

Très vite, sous le rythme ample et puissant de ses hanches, Kirsten se sentit partir dans une exquise dérive. Un gémissement plaintif commença à s'échapper de sa gorge tandis qu'elle s'agrippait à ses épaules comme s'il en allait de sa survie.

Soudain, Cal cessa tout mouvement et s'écarta d'elle.

Stupéfaite, Kirsten ne sut quelle attitude adopter.

— Cal… ?

— Dis-moi encore que tu me désires, intima-t-il d'une voix sourde.

Comment pouvait-il en douter ? Tout son être réclamait l'assouvissement de ses sens.

— Je te désire tellement, Cal, que c'en est une souffrance…

D'instinct, elle s'était cambrée, provocante, pour effleurer son torse de la pointe de ses seins. Alors Cal s'empara de sa bouche en un baiser sauvage et possessif, qui la cloua au lit, éperdue.

Bientôt, il fut de nouveau en elle mais cette fois, les délices d'une extase brûlante et partagée vinrent couronner leur union.

8.

Le soleil matinal filtrait à travers les persiennes, faisant jouer ses rayons sur le mur de la chambre. Du lit où elle était encore allongée, Kirsten entendait l'écho d'une musique quelque part dans la maison.

Il y avait longtemps qu'elle ne s'était pas sentie aussi bien. Aussi heureuse. Un sentiment de plénitude enveloppait tout son corps. Elle se tourna afin de se blottir contre Cal, mais ne rencontra que le vide à côté d'elle.

La pendulette sur le chevet indiquait 9 heures et demie. Cela ne lui ressemblait pas de se réveiller aussi tard ! Quoique, après leurs ébats de la nuit, cela n'avait rien d'étonnant… Cal lui avait fait plusieurs fois l'amour avant qu'ils ne finissent par s'endormir dans les bras l'un de l'autre, épuisés.

Un frisson de volupté la traversa à ce seul souvenir.

Que de passion ils avaient partagé, que de tendresse… Et néanmoins, pas un seul mot d'amour, songea-t-elle non sans un pincement de cœur. Mais après tout, c'était logique : Cal ne l'aimait pas, et elle… eh bien, elle n'éprouvait plus de sentiments de ce genre à son égard.

Elle se rappela brusquement que Cal lui avait dit être très *attaché* à elle. Sur le moment, elle n'avait pas accordé d'importance particulière à cette formule qui maintenant lui déplaisait au plus haut point.

Une pensée d'une tout autre nature provoqua un soudain effroi en elle. Ils n'avaient utilisé aucun moyen de contraception !

Quelle idiote ! Quelle sinistre idiote, elle était !

Son inconscience la fit tellement enrager qu'elle ne supporta pas de rester un instant de plus au lit et fila sous la douche.

Mais même là, ses tourments la poursuivirent. Elle avait supplié Cal si ardemment de lui faire l'amour… il avait dû supposer qu'elle prenait la pilule…

L'appréhension qu'elle éprouvait à l'idée de se retrouver face à lui ne fit que croître. Et pourtant, le plus tôt serait le mieux, se dit-elle, stoïque.

Un moment plus tard, vêtue avec décontraction d'un jean et d'un T-shirt, elle quittait l'étage.

La musique qu'elle entendait de la chambre provenait du poste de radio de sa mère jouant à plein régime dans la cuisine. Une cuisine vide.

— Maman… ?

Kirsten jeta un coup d'œil dans le salon. Là non plus, personne. La pièce était en ordre, les coussins avaient retrouvé leur place sur le canapé.

De retour dans la cuisine, la vue d'un petit mot contre la bouilloire attira son attention.

« J'ai conduit ton père en ville pour sa consultation. Cal est dehors, il fait de petits travaux pour nous. Sois gentille, apporte-lui du café. A tout à l'heure. Tendrement. Maman. »

Kirsten regarda par la fenêtre. En effet, Cal était au fond du jardin en train de couper du bois. Il travaillait avec une belle énergie, jetant au fur et à mesure les bûches qu'il fendait sur un tas. Le tout sous l'œil curieux de Candy, assise à proximité.

Kirsten commença à préparer le café, se demandant comment elle allait bien pouvoir évoquer avec Cal ce qui s'était passé entre eux. Elle imagina quelques phrases, mais toutes sonnaient faux. Le mieux serait de le laisser en parler le premier.

Elle remplit deux tasses de café et sortit porter l'une d'elles à Cal.

La grisaille de la veille n'était plus qu'un lointain souvenir. Un soleil radieux brillait de nouveau dans le ciel en ce beau matin de printemps.

Cal était assis de dos sur le billot, face à la mer. A première vue, elle crut qu'il se reposait mais s'aperçut en se rapprochant qu'il était au téléphone.

— Quelle impression ressens-tu à retrouver le soleil de Californie ? demandait-il à son ou sa correspondante.

Il rit de la réponse qui lui fut faite, puis s'exclama :

— Eh bien, je me réjouis que tu sois de retour !

Dévorée par la curiosité, Kirsten s'arrêta à quelques pas de lui. A qui s'adressait-il ?

— Quand seras-tu à San Francisco ?… Ah, oui ?… Formidable ! Tu as mon adresse là-bas, je crois ?

De nouveau, il eut ce rire de gorge, grave, sensuel. Un rire qui électrisa Kirsten. Cal devait parler à une femme.

— Est-ce que Brian t'accompagnera ?

Là, elle ne sut que trop bien à qui il s'adressait. Maeva !

— Eh bien, en voilà une bonne nouvelle !… Oui, ça me ferait très plaisir.

Si c'était une bonne nouvelle, alors, c'est que Brian, le mari de Maeva, n'était pas du voyage, conclut Kirsten avec aigreur. Une réaction qu'elle se reprocha aussitôt.

Elle recula d'un pas dans l'intention de s'en retourner mais attira ainsi l'attention de Candy qui s'élança pour lui faire la fête, faisant se retourner Cal du même coup.

Le téléphone toujours à l'oreille, il lui adressa un sourire et se leva.

— Excuse-moi, mais je dois te quitter, dit-il à Maeva. D'accord… A bientôt.

Il referma l'appareil puis se dirigea vers Kirsten.

Difficile de ne pas se troubler en sa présence quand son esprit était assailli d'images de leur folle nuit.

— Bonjour, dit-il nonchalamment. Tu n'es pas très matinale…

— Bonjour. Et excuse-moi de t'avoir dérangé dans ta conversation.

— Ce n'est pas grave ; c'était juste une amie.

— Quelqu'un que je connais peut-être ? demanda-t-elle, l'air de rien.

Il se contenta de sourire.

— Dis-moi plutôt comment tu vas ce matin.

Cal se refusait à lui avouer de qui il s'agissait. Sans doute la soupçonnait-il de savoir que Maeva était bien plus qu'une amie.

Mais après tout, il était libre ! Sa vie privée ne la regardait plus ! s'admonesta de nouveau Kirsten.

Il n'empêche, tout cela la plongeait dans une telle confusion… Elle remercia muettement la brise de faire voler ses cheveux devant son visage, cachant ainsi son désarroi.

— Bien, dit-elle en réponse à sa question. Je t'apporte du café.

— Bonne idée. Je te remercie.

Elle lui tendait la tasse, telle une barricade qu'elle aurait voulu dresser entre eux, mais le frôlement inopiné de leurs mains ne manqua pas de lui donner des palpitations.

Elle chercha quelque chose à dire dans l'espoir de masquer son embarras.

— Il fait beau ce matin, n'est-ce pas ?

Le voyant sourire, elle demanda :

— Ai-je dit quelque chose d'amusant ?

— Non… Simplement je reconnais bien, par moments, l'Anglaise qui est en toi. Les Britanniques parlent toujours du temps qu'il fait pour meubler la conversation, non ?

Elle ne put réprimer à son tour un sourire. Cal avait raison, elle essayait d'esquiver les vrais sujets. Ce qui s'était récemment passé entre eux, par exemple…

— A propos de cette nuit…

A peine sa phrase commencée, elle s'interrompit. Par la plus étrange des coïncidences, Cal avait pris la parole au même moment, et pour dire la même chose !

Amusé, il l'invita à poursuivre, et elle se repentit amèrement de ne pas lui avoir laissé l'initiative sur ce sujet délicat.

— Eh bien, euh… je voulais juste dire à propos de cette nuit que… que c'était… Comment dire ?… J'étais malheureuse et… et tu as été d'un grand réconfort…

Mon Dieu, ses propos étaient-ils aussi incohérents qu'ils lui semblaient ? Elle leva un regard vers Cal. Il l'observait, le sourcil relevé.

— D'un grand réconfort ? répéta-t-il de façon sardonique.

— Oui…

Il but quelques gorgées de son café, très calme. Si calme que cela l'irrita, tant elle-même se sentait agitée, gauche, stupide. Comme il s'obstinait à garder le silence, elle poursuivit :

— C'est bien que nous ayons pu discuter…

— Oui, c'est bien, l'interrompit-il enfin. Et ce qui s'est passé entre nous aussi était très bien ; ça m'a rappelé plein de bons souvenirs, cette extraordinaire alchimie sensuelle.

— C'est vrai que, physiquement, notre couple a toujours bien fonctionné… Mais pour en revenir à… à ce que je disais à l'instant, Cal, ajouta-t-elle, fuyant le terrain où il menaçait de l'entraîner, je suis contente que nous ayons pu parler de Melanie… Nous avions besoin de tourner définitivement la page sur cette tragédie.

— Oui.

— Je crois que ça nous aura aidés… même si cela a été douloureux.

Il regarda autour de lui et elle comprit qu'il cherchait un endroit où poser sa tasse. Aussitôt, elle recula d'un pas. S'il lui prenait l'idée de l'enlacer ou la toucher de quelconque façon, elle craignait de succomber.

— Je pense qu'il faudrait considérer tout ce qui s'est passé entre nous cette nuit comme une ultime phase de deuil, Cal. Nous nous sommes un peu laissés aller à nos émotions, toi et moi, et… et c'est ce qui a déclenché tout le reste. Mais nous avons fait la paix, et il faut que nous regardions devant nous désormais. Toi, tu as…

Elle ne put prononcer le nom de Maeva et désigna son téléphone dans sa poche.

— … Tu as très certainement des femmes qui t'attendent. Et moi, il faut que je réfléchisse à… à mon avenir.

— Et comment le vois-tu, ton avenir ?

Question embarrassante. Pour l'heure, Kirsten n'en avait pas la moindre idée. Mais comment le lui avouer sans perdre la face ?

— Nous avons prévu de nous voir, Jason et moi, la semaine prochaine, et…

— Jason ? l'interrompit-il sèchement. Ecoute, Kirsten, je pense que Jason n'est pas un bon choix.

Elle fut ulcérée par tant d'arrogance. Comment osait-il lui reprocher ce choix alors que lui-même aimait une femme mariée ?

— Je ne vois pas ce qui te le fait dire, répliqua-t-elle, des éclairs dans les yeux. Jason est célibataire, et je compte beaucoup pour lui… De toute façon, ça ne te regarde pas !

— Si je dis ça, c'est parce que je tiens à toi, Kirsten.

— Eh bien, abstiens-toi.

— Quoi ? Que je te le dise ? Ou que je me préoccupe de ton sort ?

— Les deux.

L'émotion faisait trembler dangereusement sa voix. Elle ne voulait pas d'un homme qui « tenait » simplement à elle. Qui était « attaché » à elle.

— J'ai autre chose à ajouter, Kirsten. C'est vrai, nous nous sommes peut-être laissé emporter par nos émotions, cette nuit. Et peut-être aurais-je dû m'arrêter, mais je ne l'ai pas fait. Qu'adviendra-t-il si tu es enceinte ?

Elle le regarda, hébétée.

Il jeta le reste de son café, puis posa sa tasse à ses pieds et s'avança vers elle.

— Ecoute, Kirsten, si tu es enceinte…

— Je ne le suis pas !

Paniquée, elle avait reculé ; si précipitamment qu'elle trébucha et serait tombée sans un réflexe rapide de Cal qui la rattrapa par un bras.

— Oui, nous nous sommes laissé emporter, répéta-t-elle d'une voix éteinte. C'est une erreur dont j'assumerai les conséquences, s'il le faut… et quand il le faudra. En attendant, Cal, je suggère que nous fassions comme si rien ne s'était passé.

Elle tourna les talons, suffoquée par les larmes qu'elle s'efforçait désespérément de contenir.

La première impulsion de Cal fut de la suivre, mais il se ravisa et ramassa de nouveau sa hache.

Ah, il s'en voulait ! Lui qui s'imaginait régler bien des problèmes en incitant Kirsten à s'épancher, à parler du passé ! En fait, ses belles initiatives se retournaient contre lui.

« Tourner la page ». Lui aussi voulait oublier les malheurs d'autrefois, évidemment, mais il avait espéré que ce serait là l'occasion d'un nouveau départ, et non le contraire.

Peut-être avait-il précipité les choses. Il était toujours bien trop impatient dans la vie. Peut-être parler du passé avait-il fait réfléchir Kirsten à l'avenir… Avait-elle décidé d'épouser Jason ?

Ce type n'était pas fait pour elle ! Et s'il le fallait, il était prêt à le lui prouver !

A son retour dans la maison, Kirsten était dans un tel état d'agitation qu'elle ne sut comment s'occuper. Elle commença par faire taire la chansonnette que beuglait la radio et, après avoir arpenté un instant la cuisine, décrocha le téléphone pour appeler Chloe. La gaieté et les conseils de son amie lui semblaient le meilleur des remèdes à obtenir dans ces circonstances.

Malheureusement, Chloe n'était pas là. Kirsten reposa le combiné puis, sur une impulsion, décida d'appeler Jason. Mais après avoir composé les premiers numéros, elle raccrocha. Elle n'avait pas envie de parler à Jason ; ce qu'elle voulait, c'était sortir se jeter dans les bras de Cal.

Il n'en était pas question, pourtant. Cal ne l'aimait pas. Se jeter à sa tête comme la nuit dernière, signifierait revenir à la case départ, commettre la même erreur que trois ans plus tôt. Non, elle refusait de s'exposer à de pareilles souffrances. Et si elle se révélait enceinte — ce à quoi elle ne croyait pas un instant— eh bien, elle gérerait la situation seule, et non dans le cadre d'une relation sans amour.

Ce fut avec soulagement qu'elle entendit arriver la voiture de ses parents. Elle penserait plus tard à ses problèmes !

Lynn et Robert les persuadèrent de rester déjeuner avec eux avant qu'ils repartent. Ils étaient rentrés tout heureux de leur visite chez le médecin ; les résultats des examens de son père montraient qu'il était sur la voie de la guérison. Le soulagement de tous était palpable autour de la table du déjeuner. Et il avait l'avantage de masquer la tension entre Kirsten et Cal.

La jeune femme trouvait ses parents métamorphosés par la bonne nouvelle. Son père semblait déjà plus fort, plus dynamique.

Elle jeta un coup d'œil en direction de Cal, assis en face d'elle. Depuis qu'elle l'avait laissé dans le jardin, il n'avait cessé de s'activer. Avec la réserve de bois qu'il avait coupé pour ses parents, ceux-ci auraient de quoi se chauffer pendant au moins deux mois ! Elle le regarda rire à une plaisanterie de son père, et une sensation très étrange se produisit en elle. Cal tourna la tête, et leurs yeux se rencontrèrent. « Je suis toujours amoureuse de lui », pensa alors Kirsten.

Cette découverte l'ébranla jusqu'au plus profond d'elle-même. Sa première réaction fut le déni. C'était impossible, comment pouvait-elle imaginer pareille énormité ?

Cal lui sourit doucement, et ce fut comme si une porte se refermait sur elle, la privant de toute échappatoire. Bien sûr, elle l'aimait ! Elle n'avait jamais cessé de l'aimer ! Son cœur se glaça puis se mit à battre sourdement dans sa poitrine sous l'effet d'une panique incontrôlée.

Aimer cet homme l'avait fait tellement souffrir. Elle n'imaginait pas repasser par de telles épreuves… elle ne le souhaitait pas.

— Nous devrions y aller, je crois, annonça Cal.

Kirsten acquiesça.

En embrassant sa mère, elle remarqua que son père avait entraîné Cal à l'écart, mais elle eut beau tendre l'oreille, elle n'entendit pas ce qu'ils se disaient.

— Prends bien soin de toi, ma chérie… Et donne une autre chance à Cal, lui souffla sa mère dans le creux de l'oreille.

Kirsten n'eut pas le loisir de répondre, Cal l'avait rejointe.

Il embrassa sa belle-mère.

— Merci pour tout, Lynn !

Qu'ils étaient à l'aise ensemble, pensa Kirsten. Leurs relations étaient chaleureuses, détendues.

Mais comment pourrait-elle donner une deuxième chance à Cal ? D'après la conversation qu'elle avait surprise ce matin, la situation en était toujours au même point entre Maeva et lui.

Peut-être cela lui convenait-il de compartimenter sa vie, d'avoir d'un côté une maîtresse pour laisser libre cours à sa passion, et de l'autre, une compagne pour lui donner des enfants. Mais cela ne convenait nullement à Kirsten. L'idée lui répugnait. Jamais elle ne s'accommoderait d'une telle relation triangulaire.

Son père l'embrassa à son tour avec effusion. Puis Cal et elle sortirent et se dirigèrent vers la voiture sous le regard ému de ses parents restés sur le perron.

Cal lui proposa de prendre le volant. Elle allait refuser mais lui donna finalement les clés. Ce serait plus reposant de ne pas conduire.

— Je suis content que le pronostic soit optimiste pour ton père, fit remarquer Cal, une fois engagé sur la route principale. Je t'avais bien dit qu'il était solide.

— Oui, quel soulagement !

Elle regarda ses mains sur le volant et les revit qui la caressaient si passionnément, cette nuit… Une onde sensuelle la poussa à fermer les yeux.

— Tu es fatiguée ?

— Un peu…, mentit-elle.

— Tu sais, Kirsten, pour revenir à notre conversation de ce matin…

— N'en parlons plus, Cal, interrompit-elle. Je crois que nous en avons déjà bien assez dit l'un et l'autre.

Il haussa les épaules.

— Soit. Tu as peut-être raison.

Cal n'épilogua pas, et le reste du trajet s'effectua en silence.

Kirsten avait dû s'assoupir car elle sursauta légèrement lorsque Cal lui effleura le bras.

— Kirsten, nous sommes arrivés. Nous sommes à San Francisco.

Cal s'était garé devant une rangée de coquettes maisons accolées les unes aux autres, en front de mer.

— Est-ce ici que je vais habiter ? interrogea Kirsten.

— Oui.

Il lui désigna l'une des maisons vers le milieu. Une façade blanche, des persiennes gris perle aux fenêtres, elle avait un petit côté suranné qui évoquait les anciennes maisons de poupée.

— Je m'occupe de tes bagages ; tu n'as qu'à entrer, lança Cal.

Kirsten fouilla d'abord dans son sac à la recherche de la clé puis descendit de voiture.

Le jour commençait à décliner, et les premières lumières de la ville scintillaient sur la baie, nimbée du rose orangé du couchant.

Kirsten introduisit la clé dans la serrure puis poussa la porte. Après quelques tâtonnements, elle trouva l'interrupteur. Un jeu de lampes éclaira la pièce d'une douce lumière, révélant l'ambiance chaleureuse de beaux meubles anciens et de parquets cirés.

— Ça te convient ? demanda Cal, quand il entra peu après.

— Et comment ! répondit-elle tout en allant jeter un coup d'œil dans la pièce voisine, une ravissante cuisine tout équipée. Je pourrais bien ne plus jamais vouloir partir d'ici !

Cal sourit.

— Veux-tu que je monte ta valise à l'étage ?

Elle accepta volontiers et lui emboîta le pas dans l'étroit escalier.

Il y avait deux chambres, aussi simplement et douillettement aménagées l'une que l'autre.

— Je ne m'attendais pas à un logement aussi agréable, avoua Kirsten.

— Le studio aime bien chouchouter ses actrices, déclara Cal avec un sourire.

Il avait posé sa valise dans la plus grande des chambres sur la façade principale de la maison. Kirsten passa devant lui pour aller regarder par la fenêtre.

— J'ai même la vue sur la baie !

— Etant donné que j'ai réquisitionné ta chambre, hier soir, il m'a semblé que, le moins que je pouvais faire, c'était de te donner la meilleure chambre, cette fois-ci !

— Que veux-tu dire ? répliqua Kirsten, faisant volte-face. Où comptes-tu dormir exactement ?

— Eh bien, dans l'autre chambre, naturellement.

— C'est une plaisanterie ?

— Non ! Tu ne t'imaginais tout de même pas que le studio allait t'offrir une telle maison pour toi toute seule ?

— Figure-toi que j'avais la prétention de croire que oui ! Quelle idiote ! Pourquoi feraient-ils une chose aussi sensée alors qu'en nous mettant tous les deux sous le même toit, ils peuvent espérer de jolies retombées pour le film ?

— Effectivement, approuva Cal, un sourire amusé aux lèvres.

— En tout cas, c'est une situation intenable ; tu en conviendras, je suppose ?

Il haussa les épaules.

— Non. Pourquoi serait-elle intenable ? Avec le tournage, nous passerons tellement peu de temps ici.

— Là n'est pas la question, Cal.

— Tu trouves ?

La sonnerie de son téléphone portable mit un terme prématuré à cet échange. Cal quitta la chambre, et elle l'entendit parler tout en redescendant au rez-de-chaussée :

— Ah, bonjour !… Ça y est, je suis arrivé, oui…

Qui était-ce ? se demanda Kirsten, se laissant tomber sur le lit. Encore une femme ?

Elle se prit la tête entre les mains et s'efforça de réfléchir posément à la situation. Si elle n'avait pas été si fatiguée et si peu familiarisée avec San Francisco, elle aurait repris sa valise et serait partie dormir à l'hôtel.

— Kirsten, veux-tu un sandwich ou autre chose à manger ? lui cria Cal de l'escalier. On nous a garni le réfrigérateur, figure-toi.

— Non, je ne veux rien, merci, cria-t-elle en retour.

— Dis-moi, qui prend la douche en premier ? Il n'y a qu'une seule salle de bains, je te rappelle.

Si un mauvais esprit s'amusait à lui jouer un tour, cela ne la faisait pas rire du tout !

— Moi ! répondit Kirsten.

Et elle se leva pour refermer la porte de la chambre d'un geste rageur.

Dès demain, elle se mettrait en rapport avec le producteur, et demanderait à être installée ailleurs !

9.

Kirsten tira les rideaux de la chambre et demeura un long moment à la fenêtre à regarder le jour se lever sur la baie.

C'était un réel privilège d'avoir un tel spectacle sous les yeux, et cette maison eût été idéale, pensa-t-elle, si elle n'avait dû la partager avec Cal. Hélas, malgré ses multiples démarches pour que le studio la reloge, cela faisait maintenant près de deux semaines qu'elle habitait ici avec lui.

Pour être honnête, elle ne pouvait dire que cela avait été particulièrement pénible. Le travail les occupait du matin au soir et ne leur laissait guère de temps pour se gêner mutuellement dans la maison. La situation n'en était pas moins inconfortable du fait de l'inévitable intimité qu'elle supposait. Et puis, c'était bien assez de devoir se côtoyer toute la journée sur le plateau sans, en plus, se retrouver le soir sous le même toit !

Elle allait profiter de ce samedi où ils ne travaillaient pas pour se chercher un autre appartement, puisque le studio ne se décidait pas à la reloger…

Après avoir enfilé son peignoir, elle ouvrit avec précaution la porte de la chambre.

Celle de Cal était grande ouverte ; elle voyait très bien le lit dans l'encadrement — il était fait, impeccablement. L'idée qu'il avait peut-être découché lui effleura alors l'esprit.

Depuis leur arrivée à San Francisco, ils utilisaient chacun leur voiture pour se rendre au studio. C'était Kirsten qui avait tenu à garder cette liberté de mouvements. En général, Cal rentrait avant elle, mais ce n'avait pas été le cas hier soir, se souvint-elle. Elle était montée tout droit se coucher et, en y réfléchissant, s'aperçut qu'elle s'était endormie sans l'avoir entendu rentrer.

Poussée par la curiosité, elle alla jeter subrepticement un coup d'œil dans la chambre.

— Tu cherches quelque chose ?

La voix de Cal venant de la salle de bains la fit sursauter. Le premier instant de surprise passé, elle essaya de ne pas se laisser troubler par sa quasi nudité. Cal sortait de la douche et portait juste une serviette autour des hanches.

— Je pensais que tu avais peut-être déménagé.

— Non, comme tu peux voir, je suis toujours là, fit-il avec un grand sourire. C'est agréable d'avoir un peu de temps libre, n'est-ce pas ? As-tu des projets pour la journée ?

— Oui, me chercher un appartement.

— N'est-ce pas une perte de temps ? Tu as un logement très correct ici, non ?

— Ce qui est moins correct, Cal, c'est de faire vivre ensemble un couple divorcé comme nous, tu ne crois pas ?

— Et alors ? Entre gens civilisés, ça ne pose pas de problèmes. D'ailleurs, nous sommes amis.

Amis ? Pourrait-elle jamais avoir de simples rapports d'amitié avec Cal ? Il remuait tant d'émotions en elle… Et encore plus quand il lui offrait le spectacle de sa virilité, comme en ce moment…

— Je ne me sens pas à l'aise dans cette situation, Cal, voilà. Donc, je m'en vais.

Il haussa les épaules.

— Si tu y tiens… Ecoute, puisque je n'ai rien de prévu ce matin, je vais t'aider à trouver un appartement.

Elle eut un petit sourire teinté d'amertume.

— Tu me ferais davantage plaisir si tu me disais que *tu* vas te chercher un appartement.

112

— A quoi bon ? Nous ne resterons pas très longtemps ici. Quelques semaines, tout au plus… Et puis, je me plais bien dans cette maison. Elle est si près du studio, c'est très commode.

En clair, puisqu'elle avait la lubie de déménager, à elle de régler le problème ! Kirsten s'efforça de ravaler sa rancœur et demanda d'un ton aigre :

— As-tu terminé dans la salle de bains ? Parce que j'aimerais bien me doucher, j'ai beaucoup à faire.

— Bien sûr ! Je vais sortir acheter du pain et des beignets à la boulangerie. Veux-tu autre chose pour le petit déjeuner ?

— Non, merci.

Cal s'était effacé pour la laisser entrer mais, vu l'étroitesse du couloir, ce fut tout juste si elle ne le frôla pas en passant. Quand elle referma la porte, son cœur battait la chamade. Plus tôt elle partirait d'ici, mieux ça vaudrait !

Cal rentrait juste de la boulangerie lorsqu'elle descendit après sa toilette, en jean et chemisier, les cheveux flottant sur les épaules.

— Tu ne veux pas un beignet, c'est sûr ? dit-il, levant le sachet qu'il tenait à la main.

— Non. Je prendrai juste un jus d'orange et du café.

— Ça va ? Tu te sens en forme ?

Bien que le ton fût désinvolte, la question la mit vaguement mal à l'aise. Cal se demandait-il si elle était enceinte ?

Elle répondit d'un air dégagé :

— Ça va. Je n'ai jamais beaucoup d'appétit au petit déjeuner, tu t'en souviens ?

— Oui… je m'en souviens.

Il lui sourit, et ce sourire, pour une raison inexpliquée, lui donna un pincement au cœur.

Elle alla prendre la cafetière.

— Est-ce du café frais ? demanda-t-elle à Cal.

— Oui. Tu veux bien m'en servir aussi une tasse ?

Elle obéit en silence.

— Tu es allé dans un endroit agréable, hier soir ? lui demanda-t-elle, une fois à table.

— J'ai juste bu un verre en ville.

Fallait-il comprendre que Maeva était arrivée à San Francisco ? Si celle-ci n'était pas avec son mari, cela expliquerait que Cal ait découché la nuit dernière.

Il vint s'asseoir en face d'elle.

— J'ai acheté un journal tout à l'heure ; j'ai déjà jeté un coup d'œil aux annonces immobilières.

Il prit le journal en question sur la chaise voisine, et elle remarqua qu'il était plié à la page des maisons à louer.

— Il y en a une qui m'a l'air intéressante.

Il lui lut le descriptif. Intéressante, elle l'était, en effet, mais son prix, beaucoup moins.

— C'est trop cher, Cal.

Malheureusement, le même constat s'imposa pour les annonces suivantes, et au bout de la troisième ou quatrième, elle l'interrompit :

— Il me faut un tout petit appartement, Cal. En ce moment, mes moyens ne me permettent pas davantage.

— Allons, Kirsten, tu dois bien pouvoir t'offrir un logement décent. Tu as du travail, tu n'es pas sans le sou.

Elle fut sur le point de tout lui avouer, l'escroquerie de Chandler, la spirale des dettes… Déjà, elle l'entendait qui répliquerait : « Je te l'avais bien dit ! » Et il aurait raison. Mais cette idée l'insupportait, et elle renonça.

Cal s'était levé pour se resservir du café. Il se tourna pour lui en proposer une tasse, qu'elle accepta.

— Quel est le problème, alors ? demanda-t-il avec douceur, en se rasseyant à table.

— Le problème, c'est que le studio refuse de me reloger ! éluda Kirsten. Chaque fois que j'en fais la demande, on me promène de service en service. J'ai affaire à des gens qui, soit ne sont pas disponibles, soit sont incompétents et me dirigent vers un autre département.

Cal hocha la tête.

— J'ai même essayé de m'adresser au responsable de la société de production, mais là encore, je me suis heurtée à un mur.

— Je vois.

L'expression de Kirsten s'éclaira.

— Tu les connais, toi, chez Sugar Productions ?

— Bien sûr, ce sont eux qui financent notre film.

— Oui, mais c'est une toute nouvelle société, je crois. Sais-tu qui la dirige ? Parce que personne n'a été vraiment en mesure de me le dire. Si j'avais le nom de celui qui tire les ficelles…

— Je connais certaines personnes haut placées.

— Peut-être pourrais-tu leur en toucher un mot, alors ? fit-elle, le regard plein d'espoir. Peut-être quelqu'un de haut placé pourrait-il me reloger… ?

— Peut-être, répondit-il, débonnaire.

Le visage de Kirsten se fondit dans un sourire reconnaissant. Elle aurait dû le lui demander plus tôt ! Bien sûr qu'il devait y connaître du monde ! Cal avait des relations partout.

— Ce serait formidable si tu pouvais faire ça pour moi !

— En attendant, pourrais-je savoir pourquoi tu ne peux pas t'offrir un logement décent ?

— Eh bien… je continue de payer mon loyer à Los Angeles… et… Et puis, autant que tu le saches, Cal, cet agent qui s'est occupé de moi à une époque, Chandler… eh bien, il m'a escroquée, et je me suis retrouvée couverte de dettes.

Elle guetta son : « Je te l'avais bien dit », mais Cal demeura silencieux.

— Quand tu parles d'escroquerie… quelle en est l'ampleur ? Tu as perdu un peu d'argent ou beaucoup ?

— Tout ce que je possédais… Oh, je sais, tu vas répondre que c'est ma faute, soupira-t-elle, que j'ai été bien trop crédule.

— Je n'allais pas dire ça.

— Ce serait justifié, pourtant.

Elle passa une main dans ses cheveux et murmura :

— Je n'avais pas les idées très claires à l'époque. C'était pendant notre divorce. J'étais… désorientée et j'ai signé des contrats que je n'aurais jamais dû accepter.

— Tu aurais dû m'en parler, Kirsten.

Elle haussa les épaules.

— Qu'aurais-tu fait ? De toute manière, quand j'ai découvert les agissements de Chandler, il était trop tard, l'argent s'était envolé. Et puis, nous étions en instance de divorce, je m'imaginais mal t'appeler au secours.

— Tu as eu tort. Je t'aurais aidée.

— Je sais. Peut-être est-ce pour cette raison que je ne l'ai pas fait.

Elle se leva sous prétexte d'aller se chercher un verre d'eau et put continuer sans le poids du regard de Cal qui l'observait :

— A partir du moment où nous étions séparés, j'estimais devoir me débrouiller seule. Si tu veux la vérité, c'est pour cette raison que je ne prenais pas tes appels, juste avant le divorce ; je ne voulais pas que tu saches dans quel bourbier je m'étais fourrée…

— Je croyais que c'était parce que tu fréquentais Jason Giles. Tu es beaucoup sortie avec lui quand je suis parti.

— Parce que tu as vécu comme un moine à Londres, peut-être ? répliqua-t-elle, lui faisant face cette fois.

A son tour, il se leva de table.

— Non. Je ne te mentirai pas, Kirsten. Il y a eu d'autres femmes.

— Je sais. Les journaux s'en sont fait largement l'écho. Ton nom a même été associé à celui de Maeva.

— Je croyais que tu ne lisais pas ce genre de presse, dit Cal en se rapprochant.

Elle eut un haussement d'épaules impuissant.

— Excuse-moi si je t'ai fait du mal, Kirsten.

Elle eut un nouveau haussement d'épaules et pria tout bas pour qu'il ne s'approche pas davantage car une espèce de faiblesse commençait à la gagner. Le désir qu'il la prenne dans ses bras devint si fort qu'il fit résonner une alarme intérieure en elle.

— Du mal, je crois que chacun en a fait à l'autre, murmura-t-elle.

Puis elle s'écarta et commença à débarrasser le couvert.

— Ecoute, Cal, je ne peux pas rester discuter toute la journée ici avec toi. J'ai des occupations qui m'attendent et… et Jason doit arriver aujourd'hui.

— Ah, bon ?

— Oui. Il m'a invitée à dîner ce soir.

— Charmant.

— Oui, fit-elle avec un sourire crispé.

— Puisque tu dînes avec Jason, pourquoi ne déjeunerais-tu pas avec moi ? proposa-t-il soudain.

Elle hésita, puis répondit :

— Non, je te remercie, Cal, j'ai trop à faire.

— C'est cette histoire d'appartement ?

— Oui.

Elle allait porter sa tasse à l'évier puis, comme il se trouvait sur son chemin, la posa à côté sur le meuble.

— Ecoute, veux-tu que je te dise… j'interviendrai en haut lieu pour qu'on veuille bien te reloger si tu déjeunes avec moi.

Elle le fixa, les sourcils froncés.

— Serait-ce une idée du studio, par hasard, ce déjeuner ? Parce que, autant te prévenir, Cal, toute cette comédie pour la promotion du film…

— Non, Kirsten, ce n'est pas une idée du studio, coupa-t-il. Ne vois là aucun piège. J'ai juste envie de déjeuner avec toi. Fais-moi ce plaisir, veux-tu ?

Quand il la prenait ainsi par les sentiments, elle aurait accepté n'importe quoi. D'autant qu'un repas au restaurant en sa compagnie n'était pas pour lui déplaire…

— Et tu transmettras ma requête au studio ?

Il hocha la tête.

— Eh bien, va pour le déjeuner !

Après une pause, elle ajouta, malicieuse :

— Naturellement, j'aurais préféré que tu te cherches une maison parmi toutes celles que tu m'as proposées… Je peux aller les visiter avec toi, si tu veux.

— Il faudrait peut-être ne pas trop en demander, Kirsten !

— Soit, fit-elle, dissimulant un sourire.

Il faisait un soleil éclatant. Pour mieux en profiter, Cal abaissa la capote de la Mercedes et ils se mirent en route, longeant d'abord le port avant d'emprunter la route côtière.

Aucun n'éprouvait le besoin de parler, comme si après la pression de ces dernières semaines ils n'aspiraient qu'à se détendre.

— Comment va ton père ? demanda Cal.

Ils avaient fait une halte pour regarder des pêcheurs réparer leurs filets et regagnaient la voiture.

— Bien ! Je l'ai eu au téléphone pas plus tard qu'hier soir. Il est très en forme et maman aussi. Ils ont prévu de partir en croisière.

— C'est une bonne nouvelle. Au fait, j'ai les billets pour le match de football ; tu pourras le lui dire la prochaine fois que tu auras l'occasion de lui parler.

— C'est très gentil à toi, Cal…

— Je sens venir un « mais », je me trompe ?

Il la regardait avec un sourire amusé.

— De toute façon, reprit-il, je ne l'ai pas fait que pour ton père, rassure-toi. J'aurais quand même assisté à ce match. J'en avais prévenu Theo depuis longtemps.

— Il semble que tu aies moins de problèmes que moi dans tes relations avec le studio, déclara Kirsten comme pour elle-même.

— Ne parlons pas de travail, veux-tu ? Pour une fois que nous ne sommes pas en tournage… Dis-moi plutôt où aimerais-tu déjeuner.

Connaissant peu San Francisco, Kirsten le laissa choisir : il lui proposa un restaurant spécialisé dans les fruits de mer, où l'on servait notamment, dit-il, une inoubliable fricassée de langouste.

Kirsten découvrit avec plaisir qu'il donnait en plus sur la mer. Et comme les clients étaient encore rares, on les installa à l'une des meilleures tables près de la baie vitrée qui surplombait l'océan. Chacun se vit remettre un menu.

Kirsten était plongée dans l'examen du sien depuis un moment quand elle releva la tête et s'aperçut, un peu déconcertée, que Cal l'observait.

— Excuse-moi, tu as déjà choisi ? bredouilla-t-elle. Il y a tellement de bonnes choses que je n'arrive pas à me décider.

— Prends ton temps. Nous ne sommes pas pressés.

Il fit signe au serveur et commanda du vin.

— Un Chardonnay, ça te convient ?

— Parfait, approuva-t-elle avec un sourire. Mais juste un verre, sinon je ne pourrai rien boire ce soir.

— A moins que tu proposes à Jason de reporter votre rendez-vous à demain, suggéra Cal d'un ton léger.

— Ce serait difficile. Il repart demain matin.

Cal hocha pensivement la tête.

— C'est une visite éclair à ce que je vois.

Comme le serveur revenait déjà avec le vin, Kirsten referma le menu et annonça qu'elle aussi prendrait une fricassée de langouste.

La commande fut passée, et ils se retrouvèrent en tête à tête.

— Alors, à quoi trinquons-nous ? demanda Cal, levant son verre.

Ses yeux la fixaient, et un trouble familier l'envahit aussitôt. Comment s'y prenait-il pour lui faire un tel effet ? Il n'avait qu'à la regarder ainsi dans les yeux pour qu'elle se sente fondre…

— A notre premier week-end loin des caméras ! suggéra-t-elle sur une impulsion.

— Excellente idée ! approuva Cal en souriant.

— Quelle vue magnifique !

Elle avait tourné la tête et feignait de s'intéresser au paysage pour mieux conjurer l'étrange atmosphère d'intimité qui s'était établie entre eux.

— Oui... magnifique.

Du coin de l'œil, elle nota qu'il n'avait pas suivi son regard mais continuait à l'observer, elle. A quoi pouvait-il bien penser ?

Kirsten, elle, contemplait un bateau fendant les eaux étincelantes en direction d'Alcatraz.

— Qu'as-tu fait de ton alliance et de ta bague de fiançailles ?

Elle se tourna vers Cal, totalement prise au dépourvu.

— Elles sont dans un coffret à bijoux chez mes parents.

— Tu n'as donc pas songé à t'en défaire?

— Non.

Elle baissa les paupières, embarrassée, pour se soustraire à l'examen inquisiteur de ses yeux bleus. Peut-être pensait-il qu'elle les avait gardées par sentimentalisme. Cette idée l'ennuya.

— C'était de trop beaux bijoux pour que je m'en débarrasse, murmura-t-elle. J'ai bien pensé les vendre à une époque... mais l'occasion ne s'est pas présentée.

— Au moment de tes problèmes avec Chandler ?

— Sans doute. Je ne me rappelle pas bien. Pour être franche, Cal, j'ai un souvenir assez confus de toute la période qui a suivi notre séparation .

Le retour du serveur avec leurs plats interrompit pour un temps la conversation.

— C'est dommage que tu ne m'aies pas mis au courant quand tu as eu tous ces déboires avec Chandler, reprit Cal. Je t'aurais volontiers aidée.

— Je sais, fit-elle avec un sourire de gratitude. Je me suis sentie tellement stupide de m'être fait ainsi flouer.

— Tu n'es pas la seule artiste dans ce cas... Et si ça peut te consoler, moi aussi, après la mort de Melanie, j'étais loin d'être en pleine possession de toutes mes facultés.

C'était étrange, songea-t-elle, comme elle pouvait l'entendre évoquer maintenant leur bébé. Quelques semaines plus tôt, elle aurait complètement paniqué au seul énoncé de son nom.

— Il n'est pas trop tard pour que je mette mes avocats sur cette affaire, poursuivit Cal. Tu n'obtiendrais peut-être pas énormément en terme d'argent, mais au moins tu aurais le sentiment d'une réparation.

— Franchement, Cal, j'ai déjà dépensé assez d'argent et d'énergie dans cette affaire. Je préfère tourner la page… Mais merci quand même, ajouta-t-elle avec un sourire. Ta proposition me touche.

— A ta guise.

— Tu sais, je suis devenue philosophe avec le temps, j'ai appris à gommer mes rancœurs et ne retenir que l'aspect positif des choses. A cause de Chandler, j'ai dû renoncer à la musique, certes, et il m'en a beaucoup coûté ; mais en contrepartie, j'ai découvert le théâtre, le cinéma, et c'est formidable.

— Ce qui l'est aussi, c'est que tu aies si brillamment relevé le défi. Quand j'ai lu toutes ces critiques élogieuses à ton sujet au moment de tes débuts sur les planches, j'ai été très fier de toi.

— Ah oui ?

Venant de Cal, le compliment la ravissait.

— Je crois que c'est cette prestation à Broadway qui t'aura fait décrocher le rôle dans le film.

— Comment le sais-tu ?

— Certains échos que j'ai eus…

— En tout cas, je suis heureuse d'avoir eu ce rôle. Il me permettra aussi de me renflouer.

— Que feras-tu une fois le film terminé ?

— J'aimerais bien revenir à la musique, confessa Kirsten. Ça reste mon premier amour. Je serai libérée de mes engagements envers Chandler d'ici à la fin de l'année.

— Je t'ai entendue jouer du piano chez tes parents ; c'est toujours le même enchantement… Tu as peut-être raison de vouloir abandonner le cinéma. C'est un métier très exigeant, il te prend beaucoup et peut finir par te détruire si tu n'y prends pas garde.

— Moi qui croyais que tu l'adorais !

— Je l'aime bien, évidemment. Mais je crois qu'il faut savoir s'en détacher avant qu'il ne soit trop tard.

Le serveur reparut et la conversation s'orienta de nouveau sur la musique.

Pourquoi n'inclurait-elle pas une nouvelle version d'une de ses premières chansons sur un prochain album ? proposa Cal. Elle l'écouta détailler ses idées, ses suggestions… C'était comme s'ils étaient revenus des années en arrière.

La compagnie de Cal avait toujours été très enrichissante et stimulante, se rappela Kirsten. Entre eux, les débats d'idées étaient parfois houleux, souvent ponctués de rires, et dans tous les cas constructifs.

A la fin du repas, ils commandèrent un café puis, comme si chacun répugnait à rompre le charme de ces instants, en reprirent un autre.

« Nous étions si bien ensemble, pensa alors Kirsten. Qu'est-il advenu de cette merveilleuse harmonie ? » Elle le regarda, et une infinie tristesse la submergea à l'idée que ce ne fût plus le cas. « Je veux que nous recommencions, se dit-elle alors avec force. Je veux revivre ce que nous avons vécu ! »

— Cal… Cal McCormick !

Une voix masculine les arracha brutalement à leur univers. Un homme d'une bonne quarantaine d'années, la taille un peu épaisse, se dirigeait vers leur table.

— Il m'a bien semblé vous reconnaître ! s'exclama-t-il.

Cal se leva pour lui serrer la main.

— Berni ! Bonjour ! En voilà une agréable surprise.

— Ce n'en est pas vraiment une pour moi. Je vous savais dans les parages. Maeva m'a dit qu'elle vous avait vu, hier soir.

— En effet.

Kirsten sentit son cœur chavirer. Avoir ainsi confirmation que Cal était bien avec cette femme hier soir n'était pas une surprise, mais que cela faisait mal ! Surtout dans ces circonstances.

— Maeva est avec moi, poursuivit jovialement l'homme. Elle ne va pas tarder, elle est en train de garer la voiture.

Horreur ! Rencontrer Maeva était bien la dernière chose que souhaitait Kirsten.

— Vous êtes à San Francisco pour un tournage si je ne me trompe ? demanda le dénommé Berni à Cal.

Comme il jetait un coup d'œil dans sa direction, Kirsten s'obligea à sourire.

— Oui, et voici ma partenaire, Kirsten Brindle. Kirsten, je te présente Berni Goldstein ; nous avons travaillé ensemble sur le film que j'ai tourné à Londres. Berni était l'assistant du réalisateur.

Quand ils eurent échangé les civilités d'usage, Berni reporta son attention sur Cal :

— Maeva m'a soufflé que vous vous lanciez dans une nouvelle affaire, Cal ?

— Le sujet n'est pas encore à l'ordre du jour.

Ce fut dit sur un ton si péremptoire que Kirsten comprit qu'il valait mieux ne pas insister. Et Berni dut l'interpréter pareillement car il bredouilla avec un hochement de tête :

— Je comprends…

Que comprenait-il ? Elle n'eut pas le loisir d'en savoir davantage car Maeva entra à cet instant dans le restaurant.

A la vue de Cal, son visage s'éclaira.

— Cal ! Mon chou ! Quelle merveilleuse surprise !

Maeva n'avait absolument pas changé, pensa Kirsten en la regardant approcher. C'était toujours la même jolie brune piquante à la silhouette de rêve.

Elle se jeta au cou de Cal comme si elle ne l'avait pas vu depuis des lustres puis, d'un ton de reproche, susurra :

— Tu ne m'avais pas dit hier soir que tu déjeunerais ici, petit cachottier. Nous aurions pu organiser un repas à quatre.

A cet instant, Maeva feignit de découvrir la présence de Kirsten.

— Kirsten ! Il y a une éternité que je ne t'avais pas vue.

Cette dernière plaqua un sourire sur ses lèvres.

— Bonjour, Maeva. Brian n'est pas avec toi ?

— Non. Brian arrive demain, il a un rendez-vous avec Berni. Je l'ai précédé pour régler quelques affaires personnelles.

Passer une ou deux nuits avec Cal, oui !

Maeva lui demanda ensuite, presque avec compassion, comme elle allait.

— Très bien. Merci, répondit Kirsten avec fermeté.

— Cal m'a parlé de ce film que vous tournez. C'est formidable ; tu dois être ravie d'avoir un si beau rôle.

— Oui, j'ai beaucoup de plaisir à travailler avec Cal, renchérit Kirsten, dans l'espoir d'irriter ainsi son interlocutrice.

— Cal est un amour, c'est vrai, approuva Maeva, enveloppant l'intéressé d'un regard caressant. Bien… Nous vous laissons terminer tranquillement votre repas.

— Merci. Et à plus tard, répondit Cal avec décontraction.

— A plus tard, lança Maeva de sa voix rauque.

Et elle le gratifia d'un nouveau baiser sur la joue.

— Passez-moi un coup de fil à l'occasion, Cal, dit à son tour Berni. J'aimerais bien que nous discutions un peu de cette fameuse affaire, tous les deux.

— D'accord. Vous êtes à l'hôtel Excellence, comme Maeva ?

— Oui… Pour deux ou trois jours encore.

Le temps de saluer Kirsten, et Berni alla rejoindre sa compagne à leur table.

— Qu'est-ce donc que cette « fameuse affaire » à laquelle il faisait allusion ? s'enquit Kirsten.

— Oh, rien, répondit négligemment Cal.

— Ce n'en avait pas l'air.

— Je t'expliquerai une autre fois.

En d'autres termes, il ne souhaitait pas non plus lui en parler alors que Maeva, elle, était au courant.

Kirsten eut l'impression que le charme qui les enveloppait tout au long du repas s'était bel et bien brisé. C'était idiot d'avoir espéré tout recommencer avec Cal. On ne pouvait pas revenir en arrière.

Elle entendit s'élever le rire de Maeva à quelques tables de là, un rire qui semblait se moquer d'elle.

— Veux-tu encore un café ? proposa Cal tandis qu'on débarrassait leurs couverts.

Elle secoua la tête et consulta sa montre. Il était près de 16 heures ! Où était passé tout ce bon temps qu'ils avaient partagé ? pensa-t-elle, la gorge nouée.

— J'ai passé un agréable moment, Cal, mais j'aimerais rentrer à présent.

10.

Ils étaient en voiture sur le chemin du retour quand le téléphone de Kirsten sonna.

C'était Jason, et elle ne put s'empêcher d'être soulagée d'entendre cette voix enjouée rompre le silence tendu qui s'était installé entre Cal et elle.

— Je t'appelle de l'aéroport : je viens d'arriver à San Francisco ! A quelle heure veux-tu que je passe te chercher, ce soir ?

— Eh bien… 19 h 30, 20 heures ?

— D'accord. Mais dis-moi, Kirsten… pourrions-nous aller dans un endroit tranquille ? J'ai quelque chose dont je veux te parler, et j'aimerais le faire dans une relative discrétion.

Elle fut surprise tant par cette demande que par la nervosité de son ami. Cela ne ressemblait pas à Jason d'habitude si décontracté, qui privilégiait toujours les lieux branchés, très fréquentés quand ils sortaient.

— Un petit instant, Jason…

Après avoir couvert de sa main le combiné, elle demanda à Cal :

— Tu as prévu de sortir, ce soir, il me semble ?

Elle se rappelait que lui et Maeva s'étaient dit « à plus tard ».

— Pourquoi ? demanda-t-il en la regardant.

— J'envisageais d'inviter Jason à dîner à la maison.

Il y eut un bref silence.

— D'accord, invite-le, fit-il, reportant son attention sur la route.

Elle le remercia, puis soumit sa proposition à Jason qui l'accepta avec un plaisir évident.

— Ce brave Jason fait des économies maintenant ? ironisa Cal tandis qu'elle rangeait le téléphone dans son sac.

— Pas du tout. Simplement, il souhaite me parler de quelque chose en privé.

— S'il compte te proposer le mariage, il pourrait au moins t'emmener dans un restaurant décent.

— Me proposer le mariage ? s'exclama-t-elle, car l'idée ne l'avait absolument pas effleurée. Ça m'étonnerait. A mon avis, il doit être fatigué et aspire à un peu de tranquillité.

Elle perçut le doute dans sa propre voix au moment même où elle prononçait ces mots.

Et Cal le perçut également. Ils étaient arrivés devant leur maison. Une fois garé, il se tourna vers elle.

— Tu ne veux pas que je te dise ça, je sais, mais ce type n'est pas fait pour toi, Kirsten.

— Tu as raison, répondit-elle, la main sur la poignée de la portière. Je ne veux pas que tu me dises ça.

Et elle sortit, la rage au cœur. De quel droit lui tenait-il de tels propos ? Il ne manquait pas de toupet ! Se permettre de juger de ce qui était bon ou pas pour elle, alors qu'il entretenait une liaison avec une femme mariée !

Quand il entra à son tour dans la maison, il la trouva en train d'inspecter les placards dans la cuisine.

— Je vais devoir sortir faire quelques courses, dit-elle en le voyant qui l'observait dans l'encadrement de la porte.

— As-tu l'intention de mettre Jason au courant pour nous ?

— Comment ça, « pour nous » ? répéta-t-elle, saisie d'une sourde nervosité.

— Comptes-tu lui parler de notre nuit d'amour ?

Il la vit se troubler.

— Nous avons admis l'un et l'autre que c'était une erreur, Cal ; donc, je ne vois pas l'intérêt de l'évoquer.

— Et si tu es enceinte ?

— Je ne suis pas enceinte, répondit-elle, un irrésistible tremblement dans la voix.

— Tu es sûre ?

— Oui.

Un court instant, toute la déception qu'elle avait éprouvée une semaine plus tôt à cette découverte la submergea. Elle ouvrit le réfrigérateur, essayant de se concentrer de nouveau sur son dîner. C'était absurde d'être déçue, elle aurait dû se sentir soulagée !

— Je demeure convaincu que Jason n'est pas fait pour toi, martela Cal, rompant le silence.

Elle regretta qu'il ne fasse aucun commentaire sur le fait qu'elle n'était pas enceinte. Que ressentait-il ? Du soulagement ?

— Je ne vois pas au nom de quoi, Cal, tu serais apte à apprécier ce qui est bon ou mauvais pour moi !

— J'ai été ton mari, Kirsten, même si cela n'a pas duré très longtemps. J'ai la prétention de te connaître assez bien.

— Tu me connais très mal, Cal, rétorqua-t-elle, des éclairs dans les yeux.

— Je te connais suffisamment pour pouvoir affirmer que tu n'aurais pas couché avec moi l'autre soir si tu étais amoureuse de Jason.

Quelques secondes durant, leurs regards s'affrontèrent en une sorte de défi silencieux. Cal avait raison. Le fait d'en convenir, ne fût-ce qu'en son for intérieur, eut le don de l'agacer. Etait-elle donc si transparente ?

— Eh bien, tu te trompes, Cal, répliqua-t-elle avec force, lui tournant le dos. Tu te trompes sur toute la ligne !

— Je pense que tu es tombée dans les bras de Jason par dépit, à cause du traumatisme de notre séparation, poursuivit-il, imperturbable.

— Et deux ans après, je serais encore traumatisée ? C'est fou ce que tu peux être arrogant par moments !

— Tu peux dire ce que tu voudras, Kirsten, tu n'aimes pas Jason. Et si tu acceptais d'être sa femme, tu commettrais la plus grosse erreur de ta vie.

Sur une nouvelle volte-face, elle darda sur lui un regard étincelant.

— Mêle-toi de tes affaires, une bonne fois pour toutes ! C'est moi seule qui déciderai si je l'épouse ou pas !

Un silence bref, tendu, succéda à cet échange.

— Je maintiens que tu devrais lui dire que nous avons couché ensemble, il y a quinze jours. Si c'est un garçon aussi bien que tu le prétends, il est en droit de savoir.

— C'est un garçon bien, mais ce qui se passe entre toi et moi ne le regarde pas.

— S'il compte réellement t'épouser, j'estime que ça le regarde. Peut-être serait-il opportun que je lui en touche un mot…

Un effroi mêlé d'incrédulité s'empara de Kirsten.

— Tu ne ferais pas ça ?

— Entre hommes, il faut bien s'entraider parfois, non ?

— Cal ! C'est odieux ! Tu n'oserais pas !

A l'éclat sardonique de son regard, elle comprit, horrifiée, qu'il en serait capable.

La sonnerie du téléphone retentit dans l'entrée, mais aucun d'eux ne fit un geste pour aller décrocher. Le répondeur s'enclencha, et la voix de Theo parvint jusqu'à eux : « Cal, j'ai essayé de te joindre sur ton portable mais il est éteint. Appelle-moi, s'il te plaît. C'est urgent. »

Aussitôt, Cal se rendit dans l'entrée pour téléphoner. Elle l'entendit prononcer rapidement quelques mots, sans doute avec Theo, puis quitter la maison.

Pût-il ne jamais revenir ! Sitôt sa colère retombée, cependant, Kirsten se mit à penser à Jason. Il ne comptait tout de même pas lui demander de l'épouser ?

Le couvert était dressé dans la salle à manger sur une nappe blanche damassée. A la lueur des bougies, le cristal et l'argenterie s'animaient de reflets changcants, et le petit bouquet de roses dégageait toute sa grâce feutrée. Une musique douce venant du salon ajoutait à l'ambiance reposante de l'ensemble.

Kirsten observa le résultat de son travail non sans satisfaction. Elle s'était dépensée sans compter pour tout préparer, la table, la cuisine, innovant même dans ce domaine avec une recette créole dénichée dans un livre au supermarché. N'en avait-elle pas fait un peu trop ? se demanda-t-elle tout à coup. Elle ne voulait pas que Jason s'imagine Dieu sait quoi…

Il était presque 19 h 30, son invité ne tarderait plus. En s'examinant dans le miroir du salon, elle tira machinalement sur le décolleté de sa robe noire. N'était-il pas un peu trop plongeant ?

En temps normal, un tel détail ne l'aurait guère préoccupée — tout était simple, sans contrainte avec Jason. Mais Cal l'avait complètement déstabilisée avec ses idées de mariage.

En tout cas, Dieu merci, il avait dû décider de ne pas mettre à exécution ses menaces et de se tenir à l'écart, ce soir, pensa-t-elle tout en se servant un gin léger. Sans doute avait-il rejoint Maeva… Peut-être étaient-ils déjà en train de faire l'amour, soucieux de profiter au maximum du temps qu'il leur restait avant l'arrivée de Brian.

Un bruit dans l'entrée attira son attention. Elle reposa son verre et se dirigea vers le couloir, pensant qu'il devait s'agir de Jason qui frappait à la porte. Quelle ne fut pas sa surprise de voir apparaître Cal !

— Que fais-tu ici ?

— Je suis chez moi, répondit-il d'un ton cassant.

— Mais je croyais que tu sortais ce soir…

— Oui, mais j'ai été retenu jusqu'à maintenant chez Theo.

Glacial, son regard bleu la parcourut avant de s'immobiliser sur son décolleté.

— Tu n'es pas un peu trop habillée pour un dîner à la maison ?

— C'est juste une petite robe noire.

Irritée de se surprendre ainsi à justifier sa tenue, elle ajouta d'un ton sec :

— Dis-moi, comptes-tu repartir tout de suite ? Parce que je…

— Oui, ne t'inquiète pas, coupa-t-il.

En passant devant la salle à manger, il avisa la table magnifiquement dressée.

— Tu n'as pas chômé !

— Oui. Et Jason doit arriver d'un instant à l'autre, précisa-t-elle en le suivant dans le salon et en s'efforçant de surmonter une fébrilité croissante. Cal, que fais-tu ?

Il avait pris l'une des bouteilles qu'elle avait posées sur le buffet et commençait à se servir un whisky.

— A ton avis ? Je suis fatigué, je me sers à boire.

De là, il alla éteindre la chaîne stéréo puis marmonna :

— Il fait bien sombre ici, on n'y voit pas grand-chose. Allume la lumière, veux-tu ?

— Non, je ne veux pas. Je reçois un ami à dîner ; j'ai envie de musique et d'un éclairage tamisé !

— Chercherais-tu à cacher quelque chose à ce brave Jason ? répliqua-t-il, goguenard. Figure-toi que j'ai lu quelque part que bien des hommes choisissent leur femme dans des conditions d'éclairage où ils ne se hasarderaient même pas à acheter un costume.

Elle ne sut que penser de cette réflexion.

— Est-ce censé être une plaisanterie ? Parce que…

— Non, ce n'était pas une plaisanterie. Juste une façon de te rassurer… Car tu n'as pas besoin de lumière tamisée, Kirsten, ajouta-t-il plus bas, d'une voix rauque ; tu es magnifique.

A la façon dont il la dévorait des yeux, elle se sentit se liquéfier. Il y avait quelque chose de puissamment érotique dans son regard, quelque chose de presque inquiétant dans sa personne tandis qu'il s'avançait vers elle.

Et cependant, elle demeura là, pétrifiée, comme subjuguée par l'état d'excitation qu'il éveillait en elle.

— Jason va arriver d'un instant à l'autre, articula-t-elle faiblement.

— Je sais. Tu l'as déjà dit… Tu aurais dû garder le jean que tu portais cet après-midi, Kirsten. Cette robe est beaucoup trop provocante.

— Cal, je…

Le voyant poser son verre sur la table basse, elle n'alla pas au-delà de ces deux mots.

— En fait, elle mérite bien mieux qu'une soirée avec ce brave Jason.

— Arrête de l'appeler ainsi, veux-tu ?

Cal se rapprochait, elle recula d'un pas.

— Bref, cette robe est beaucoup trop sexy pour laisser n'importe quel homme insensible… Tu en conviendras.

Une lueur railleuse brillait à présent dans son regard.

Elle ne savait comment lutter à armes égales avec lui quand il était dans cet état d'esprit. C'était tout simplement impossible. Aussi bredouilla-t-elle dans un aveu d'impuissance :

— Cal, je t'en prie…

— Tu me pries de quoi ?

Elle recula encore d'un pas et se retrouva acculée au mur, hypnotisée par l'éclat incandescent de son regard.

Puis il l'embrassa. Aucune douceur dans son baiser : il était possessif, dominateur, et fit s'embraser instantanément tous les sens de Kirsten. Elle s'abandonna sans réfléchir à ce feu magique. D'instinct, sa bouche s'était animée sous celle de Cal, lui rendant baiser pour baiser, tandis que tout son corps frémissait et vibrait sous les mains brûlantes qui la caressaient. Bientôt, n'y tenant plus, elle se cambra contre lui en gémissant : la maîtrise héroïque dont elle avait fait preuve ces dernières semaines s'était bel et bien envolée…

Cal caressait délicieusement ses seins à travers sa robe. Mais elle aurait voulu sentir ses mains à même sa peau… partout sur elle… elle aurait voulu s'offrir à lui, ici même, tout de suite…

Le timbre strident de la sonnette l'arracha à ses délices. Cal s'écarta.

132

— Voilà qui tombe plutôt mal.

Il affichait une placidité qui la déconcerta. Comment pouvait-il se montrer aussi calme, détaché, alors qu'elle-même était si bouleversée?

— Tu n'aurais pas dû faire ça, Cal.

— Peut-être pas.

— Pourquoi l'as-tu fait ?

— Je l'ai fait, Kirsten, pour te démontrer comme tu aurais tort si tu décidais d'épouser Jason.

Un nouveau coup de sonnette se fit entendre.

— Je vais ouvrir, déclara Cal. Ça te laissera le temps de te ressaisir.

— Trop aimable ! fit-elle, sardonique.

Il sourit.

— Et je maintiens ce que je disais, tu es magnifique. Aussi, par loyauté envers Jason, j'estime que tu devrais éteindre ces bougies et allumer la lumière.

Elle le regarda s'éloigner, indignée par tant d'arrogance, et convaincue par ailleurs qu'il se trompait sur les intentions de Jason. Mais elle n'en augmenta pas moins légèrement la lumière dans la pièce.

La voix de Jason résonnait dans le hall :

— J'ignorais que vous habitiez ici avec Kirsten.

Vite, elle alla se regarder dans la glace. Ses pires craintes se confirmèrent. Elle avait les joues en feu et les lèvres enflées !

— Bonsoir, Kirsten !

Jason parut au moment même où elle s'apprêtait à aller l'accueillir. Il apportait un imposant bouquet qui le dissimulait à moitié.

— Qu'elles sont belles ! Merci Jason, c'est vraiment gentil.

Après l'avoir débarrassé des fleurs, elle l'embrassait sur la joue quand elle croisa par-dessus son épaule le regard cynique de Cal qui observait la scène.

— Tu ne sors pas, Cal ? s'enquit-elle avec raideur en allant poser le bouquet sur la console.

— Je monte d'abord prendre une douche.

Mais au lieu de cela, il entra carrément dans la pièce et proposa d'un ton jovial un apéritif à Jason.

Si celui-ci trouva bizarre que Cal joue les maîtres de maison, il ne le montra pas.

— Quelle maison agréable… Le studio te gâte, fit-il remarquer à Kirsten.

— Oh, c'est plutôt un sujet de controverse, en ce moment.

— Pourquoi ça ?

— Je t'expliquerai plus tard, répondit-elle en dévisageant Cal avec insistance.

— Comment s'est passé votre voyage, Jason ? demanda Cal sans se démonter.

Elle écouta bavarder les deux hommes. Jason était particulièrement chic en complet anthracite et chemise vert pâle. Et beau garçon, de surcroît, pensa-t-elle. Pourtant, comparé à Cal, qui portait un simple jean et sa chemise en chambray, il y avait presque quelque chose de falot dans son allure.

— Tu n'as rien oublié sur le feu ? s'enquit soudain Cal. Ça sent le roussi, je trouve.

— Le roussi ? répéta-t-elle, déconcertée, car elle-même ne sentait rien.

— Oui, le roussi.

La petite étincelle amusée qu'elle surprit dans ses prunelles lui fit craindre une plaisanterie. Mais elle se précipita néanmoins dans la cuisine afin de vérifier l'état de son poulet créole.

— Elle aura été distraite et aura oublié quelque chose sur le feu, remarqua Cal avec un sourire indulgent.

Puis il acheva son whisky et posa le verre sur la table.

— Il faudrait que je songe à me préparer, dit-il à Jason. J'ai une soirée au profit d'une œuvre de charité à l'hôtel Excellence.

— Ah, j'en ai entendu parler. On y attend pas mal de célébrités, je crois.

— Oui… Je m'en serais dispensé, mais Maeva a insisté pour que j'y aille. Vous n'avez qu'à passer plus tard avec Kirsten. Nous prendrons un verre ensemble.

— Pourquoi pas ? J'en parlerai à Kirsten.

Quand elle reparut, Jason lui demanda si quelque chose avait brûlé.

— Non, tout va bien… Mais où est passé Cal ? s'enquit-elle, étonnée de ne plus le voir.

— Il a dit qu'il allait se préparer.

— T'a-t-il dit autre chose en mon absence ?

— Pas vraiment, non… Pourquoi ?

— Pour rien, marmonna-t-elle. Simple curiosité… Le dîner est prêt, Jason. Nous pouvons passer à table.

Ils avaient presque terminé leur entrée que Cal n'était toujours pas parti. Kirsten était énervée et le fut plus encore lorsqu'une musique rock venue de l'étage vint soudain couvrir la paisible sonate qu'elle avait mise pour Jason et elle.

Le priant d'excuser ce désagrément, elle se leva pour fermer la porte.

Heureusement, Jason était de bonne composition : il prit la chose avec le sourire.

— Ce ne doit pas être très facile d'habiter avec lui, déclara-t-il, compatissant.

— Tu n'en as pas idée ! Il est franchement horripilant par moments !

Un sourire apparut sur les lèvres de Jason. Il prit la bouteille de Bordeaux et lui resservit du vin.

— En tout cas, je suis flatté que tu te sois donné tant de mal pour moi, ce soir.

— Je ne me suis pas vraiment donné de mal.

— Ne mens pas, Kirsten, dit-il en riant. Tu ne sais pas mentir.

— Ah, bon ?

135

Sa remarque l'avait mise mal à l'aise. Qu'avait-elle dit d'autre qui ne lui ait pas paru sincère ? Pour tromper sa confusion, elle but une ou deux gorgées du vin puis lui sourit.

— Et maintenant, Jason, raconte-moi tout ce qui s'est passé à Los Angeles depuis mon départ !

— D'accord... Mais d'abord, j'ai quelque chose à te dire, Kirsten.

Elle décela dans sa voix cette même nervosité que lorsqu'elle l'avait eu au téléphone.

A l'étage, la musique cessa. Et dans ce soudain silence, Kirsten eut la nette impression d'entendre le battement affolé de son cœur.

« Pourvu que Cal n'ait pas raison ! Pourvu que Jason ne me demande pas de l'épouser ! » pensa-t-elle, affolée.

— Ecoute, Kirsten...

Il avait une expression tourmentée. Soudain, il s'empara de sa main sur la table, bredouillant :

— C'est que... je ne sais pas comment te le dire...

— Dans ce cas, ne dis rien, suggéra-t-elle avec douceur. Nous sommes bons amis, Jason...

— Je sais, mais il faut que je t'en parle. C'est le courage qui m'a manqué jusque-là pour me décider...

Horrifiée, elle entendit le pas de Cal dans l'escalier.

— Eh bien, voilà...

— Oui ? fit-elle d'une voix que l'anxiété étranglait.

Cal avait donc raison. Après tout ce temps, Jason allait lui demander de l'épouser !

— Eh bien, voilà, Kirsten... je suis homosexuel.

— Homosexuel ? répéta-t-elle, saisie de stupeur.

Il hocha la tête.

— J'ai voulu garder ça secret pour ne pas compromettre ma carrière. Comme on me confie toujours des rôles très masculins, je n'avais pas tellement le choix...

— Jamais je ne m'en serais doutée...

Il l'étudia, un pli soucieux au front.

— Pardonne-moi, Kirsten, si j'ai pu te laisser supposer autre chose. Sache que ton amitié m'est infiniment précieuse. J'espère que tu comprends et que tu me pardonnes de ne t'avoir rien dit plus tôt.

— Tu n'as pas à me demander pardon, Jason.

— Pourrons-nous rester amis ?

— Evidemment ! s'exclama-t-elle, lui prenant la main. Il n'y a rien de changé entre nous. Tu resteras toujours mon ami…

— Merci, Kirsten.

Ils étaient là à s'étreindre mutuellement les mains, les yeux dans les yeux, lorsque Cal parut.

— Désolé d'interrompre une scène aussi touchante mais je m'en vais, Kirsten.

Immédiatement, ils se lâchèrent les mains. Elle eut à peine le temps de noter qu'il s'était changé pour une tenue de soirée et qu'il était éblouissant. Sur un bref salut de la tête à Jason, il tourna les talons et sortit.

Jason la regarda avec une grimace.

— Crois-tu qu'il ait tiré des conclusions erronées ?

— Qu'il tire les conclusions qu'il veut, je m'en moque !

— Allons, Kirsten, pas de ce jeu-là avec moi. Je sais bien que tu es loin de t'en moquer.

— Nous vivons sous le même toit, contraints et forcés, Jason. Ne va pas imaginer… Dieu sait quoi.

Il eut un large sourire, comme si elle avait dit quelque chose de très drôle.

— Kirsten, tu es amoureuse de lui, ça se voit comme le nez au milieu de la figure ! Au fait… la fermeture Eclair de ta robe est à moitié ouverte. J'ai dû arriver à un mauvais moment, non ?

— Ne parlons pas de Cal, déclara-t-elle, terriblement gênée. Parlons plutôt de toi.

— Soit… mais pas tout de suite, dit-il en riant, sa bonne humeur revenue. D'abord, j'ai quelque chose à t'annoncer à propos de Cal. Tu te souviens de la société de production dont tu m'avais parlé, Sugar Productions ? Eh bien, figure-toi qu'elle lui appartient.

Elle le fixa, éberluée.

— A Cal ? Non… tu te trompes ! Cal travaille pour eux au même titre que moi, c'est tout. Nous en discutions encore ce matin. Il va faire jouer les relations qu'il a dans la société pour me…

Elle ne termina pas sa phrase, voyant que Jason secouait obstinément la tête.

— Crois-moi, Cal est bien le patron de Sugar Productions. Le secret a été éventé la semaine dernière, et maintenant tout Hollywood est au courant.

— Mais si c'est lui, ça signifie qu'il décide de tout… Et donc, que… que c'est grâce à lui que j'ai obtenu ce rôle dans le film ! conclut-elle, horrifiée. Et il aurait choisi d'être mon partenaire ! Pourquoi ?

— Parce qu'il veut que tu lui reviennes, déclara Jason avec un grand sourire.

Elle secoua farouchement la tête.

— Parce qu'il a pitié de moi ! A mon avis, Cal était au courant de mes démêlés avec Chandler depuis longtemps ! Il devait savoir que j'ai perdu beaucoup d'argent, et il m'aura donné ce rôle pour m'aider à assainir mes finances.

— Cal était au courant pour Chandler, en effet ; je le lui avais dit, il y a longtemps, mais…

— Quoi ? s'exclama-t-elle, se levant de table comme un ressort. C'est *toi* qui as vendu la mèche, Jason ? Et Cal qui, ce matin encore, feignait de ne rien savoir sur le sujet… Ça lui permettait de jouer les bons samaritains !

— A mon avis, tes problèmes lui tenaient sincèrement à cœur, Kirsten. Mais de là à ce qu'il ait fait ce film juste pour t'aider financièrement, je ne crois pas.

Elle secoua la tête, désemparée.

— Et moi qui pensais avoir obtenu ce rôle par mon propre mérite. Dieu sait que j'en ai passé des auditions ! Apprendre maintenant que je le dois peut-être à une faveur de Cal, ça me révolte. Je préférerais encore être au chômage que décrocher un rôle dans ces conditions. Il me ridiculise !

— Allons, Kirsten ! Cal est aussi un homme d'affaires. Si tu as eu ce rôle, c'est parce que tu es une excellente actrice.

— Mais comment en être sûre désormais ?

— Ecoute, j'ai rencontré Jack Boyd, la semaine dernière. C'est lui qui, au départ, avait été engagé pour le rôle que joue Cal.

— Non. L'engagement n'était pas effectif…

— Je regrette, Jack avait signé. C'est lui-même qui me l'a dit. Le contrat était conclu initialement avec Gold-Start, et Jack Boyd et toi étiez les vedettes. Là-dessus, Cal est arrivé, a racheté les droits pour le film et grassement payé Jack pour qu'il renonce au rôle.

Kirsten se rassit sur sa chaise, comme assommée.

— Donc, ce n'est pas grâce à lui que j'ai eu le rôle ?

— Non. Juste grâce à toi, et toi seule. C'est sa propre participation en tant qu'acteur dans le film qui a été traitée… comment dire… en sous-main.

— Mais Cal n'a pas besoin de s'acheter un rôle dans un film. Tout Hollywood se l'arrache. Je ne comprends pas.

— Et si c'était pour être près de toi ?

Un fol espoir fit battre plus vite le cœur de Kirsten. Si cela pouvait être vrai !

— Mais il fréquente toujours Maeva.

— C'est exact, admit Jason, un peu perplexe cette fois. Peut-être vous aime-t-il toutes les deux ?

— Si c'est le cas, il serait temps qu'il décide laquelle de nous deux il préfère !

Cette remarque fit sourire Jason.

— Je te sens prête à en découdre !

Elle lui sourit en retour.

— Tu n'as pas tort !

— Ecoute, Cal se trouve à l'hôtel Excellence avec elle. Une soirée pour une cause humanitaire, je crois. Si nous y allions ? Nous en aurons le cœur net.

Kirsten ne se fit pas prier.

11.

Il y avait foule dans l'immense salle de réception de l'hôtel Excellence. Sous les lustres de cristal, les strass et les paillettes rivalisaient d'éclat avec l'or des bijoux. Les invités dansaient sur des classiques de swing qu'un orchestre jouait à un rythme endiablé.

— Nous n'arriverons peut-être pas à les trouver avec tout ce monde ! lança Jason en criant pour se faire entendre.

— Si Cal est là, je le trouverai ! affirma Kirsten.

De fait, elle le repéra bientôt, parlant avec Maeva de l'autre côté de la piste.

— Je le vois !

Jason suivit la direction de son regard, puis la prit par la main et ils se frayèrent un chemin à travers la foule.

Maeva fut la première à les remarquer et leur sourit du bout des lèvres. Cal alors se retourna et son regard s'immobilisa sur Kirsten.

Maintenant qu'elle était là, sous le feu perçant du regard de son ex-mari, sa belle assurance semblait s'être envolée…

— Nous ne pensions pas vous voir ici ce soir, déclara Maeva.

— Nous sommes venus sur une impulsion, répondit Jason avec son inaltérable sourire.

Cal, lui, ne bronchait pas, et le trouble de Kirsten s'amplifia. Elle eut vaguement conscience que Jason se rapprochait de Maeva pour lui parler, puis que tous deux riaient. Cela rendit le silence qui s'était établi entre Cal et elle encore plus pesant.

Enfin, il prit la parole :

— Alors, quelle a été ta réponse ?

— Ma réponse à quoi ?

— Ne fais pas l'innocente ! Tu sais bien que je veux parler de la demande en mariage de Jason.

Du coin de l'œil, elle vit que ce dernier et Maeva allaient se joindre aux danseurs sur la piste.

— Il n'y a pas eu de demande en mariage.

Cal fronça les sourcils comme s'il avait mal entendu ; et étant donné le niveau sonore ambiant, c'était peut-être le cas.

— En revanche, il m'a mise au courant pour Sugar Productions, poursuivit-elle.

— Au courant de quoi ?

— Toi non plus, ne fais pas l'innocent, Cal ! Tu m'as menti. C'est toi le patron de cette société. Tu tires les ficelles depuis le début !

— Ah bon ?

Il souriait de son sourire insolent et charmeur. Son sourire au pouvoir si redoutable. Mais rien ne pouvait entamer la détermination de Kirsten.

— Je veux des explications, Cal !

— Qu'y a-t-il entre Jason et toi ?

— Inutile de chercher à te dérober. Je t'ai demandé quelque chose.

Quelqu'un la bouscula et Cal la prit par la taille pour la retenir.

— Viens, dit-il. Ne restons pas ici.

Elle se laissa entraîner sans protester jusqu'à la sortie. Mais une fois parvenus sur le perron, Cal continua à marcher, la tirant toujours par la main. Ils traversèrent la rue en direction de la marina et ne s'arrêtèrent qu'un peu plus loin sur le quai.

Là, il lui fit face, et un frisson d'émotion la parcourut lorsqu'elle croisa son regard.

— Enfin du calme ! dit-il. Il était impossible de s'entendre dans un tel tohu-bohu.

— Alors, Cal, tes explications ?

— Donc, Jason ne t'a pas proposé le mariage ?

— Je te l'ai dit ! Mais…

— Ce type est cinglé, ma parole ! A sa place…

— Cal, ça suffit ! coupa-t-elle. Je veux savoir pourquoi tu as acheté cette société de production. Et pourquoi tu as payé une somme folle à Jack Boyd pour prendre sa place dans le film.

Cal ne répondit pas immédiatement. Il se contenta de la regarder avec une grande intensité.

— Parce que tu allais être ma partenaire… parce que c'était mon seul espoir de renouer le dialogue avec toi… et parce que je t'aime, Kirsten, et que je te veux de nouveau dans ma vie.

L'émotion la laissa pantelante.

— Mais Maeva ? balbutia-t-elle avec peine. Quelle place lui réserves-tu dans tout ça ? Que représente-t-elle pour toi ?

Il fronça les sourcils.

— Maeva ? Maeva n'a rien à voir là-dedans.

— Allons, Cal, ne mens pas. Je sais ce qui vous lie. Je… je vous ai surpris tous les deux un soir… juste après le drame.

La perplexité se lut sur le visage de Cal. Alors, elle poursuivit, un tremblement dans la voix :

— C'était chez nous, dans le salon. Tu la tenais dans tes bras et tu lui disais que tu aurais aimé être à ses côtés.

— Juste avant qu'elle parte pour Londres, c'est ça ?

— Oui. Je suis arrivée à l'improviste et je vous ai vus. Tu lui as dit que tu restais avec moi uniquement parce que je venais d'être très éprouvée.

— Je n'ai pas dit ça !

— Si. Je l'ai entendu… Maeva était ta maîtresse, n'est-ce pas ?

Cal secoua la tête.

— Avant que nous nous rencontrions, toi et moi, j'ai eu une aventure avec elle. Mais c'est fini depuis bien longtemps… Nous sommes simplement amis, maintenant.

— Des amis qui couchent ensemble chaque fois qu'ils en ont la possibilité ! Des amis qui ont leurs petits secrets !

— Leurs petits secrets ?

— Oui. Maeva savait que tu étais à la tête de cette société de production ; son ami l'a laissé clairement entendre, cet après-midi…

— Kirsten, presque tout Hollywood est au courant aujourd'hui. Theo a vendu la mèche, il y a quelques jours. C'est pour ça qu'il m'a téléphoné cet après-midi, pour me prévenir que la nouvelle s'était ébruitée.

— Et où étais-tu la nuit dernière ?

Il la prit par la main et l'entraîna un peu plus loin sur le port.

— J'étais ici.

Il lui désignait un bateau ancré devant eux, un superbe voilier dont le clair de lune soulignait les lignes épurées.

— Et j'étais seul.

Comme elle se taisait, il poursuivit avec douceur :

— J'ai passé la nuit ici parce que j'avais trop envie de te serrer dans mes bras… Mais tu n'aurais pas voulu de moi, et je n'étais pas sûr, en restant à la maison, de pouvoir me contrôler une nuit de plus…

— Cal… ne me mens pas, supplia-t-elle, sa voix se brisant soudain. Je préfère encore la vérité, aussi cruelle soit-elle…

Il l'attira pour l'étreindre avec force contre lui.

— C'est la vérité, Kirsten… J'ai passé la nuit ici, seul. Depuis bien longtemps, il n'y a plus rien de sexuel entre Maeva et moi. Juste de l'amitié. Elle a beaucoup souffert dans la vie et…

— Ah, non, je t'en prie, ne commence pas à la plaindre, interrompit Kirsten en s'écartant de lui, ulcérée. Ça m'est insupportable.

— Pourtant, elle a eu son lot de malheurs, crois-moi. Elle a perdu ses parents très jeune comme moi, mais elle n'a pas eu ma chance. On l'a placée dans une famille d'accueil où… enfin, disons pour résumer que si elle est un peu instable sur le plan affectif, eh bien… elle a de bonnes raisons.

— Avait-elle aussi de bonnes raisons de me révéler pendant ma grossesse qu'elle était ton premier amour ? rétorqua Kirsten avec colère.

Madame a tenu à me faire savoir combien tu étais attaché à elle, et que tu ne m'avais épousée que parce que j'étais enceinte !

— Quoi ? Comment a-t-elle osé dire cela ? C'est un pur mensonge !

— Il n'empêche que je vous ai vus dans les bras l'un de l'autre, ce fameux jour, poursuivit Kirsten. Que je t'ai entendu lui dire comme tu aurais aimé être auprès d'elle !

— Elle pleurait, Kirsten, et je l'ai consolée, c'est tout. Moi qui considérais Maeva comme une amie… J'ai peine à concevoir qu'elle ait pu te tenir des propos aussi perfides ! lança-t-il avec une rage sourde.

— Pourtant, c'est le cas.

— J'espère que tu me crois si je te dis qu'il s'agissait bel et bien de mensonges. Quant à la fois où tu nous as vus dans le salon, je me souviens, je venais de lui annoncer que je n'irais pas à Londres, et elle était déçue. Elle appréhendait de s'engager seule dans ce film… Quelques semaines plus tôt, elle avait tenté de se suicider.

Devant la stupéfaction de Kirsten, il ajouta :

— Elle m'avait fait promettre de n'en parler à personne, et j'ai respecté ce vœu, par loyauté. C'était une erreur, je m'en rends compte à présent… J'aurais dû t'en informer. Mais tu étais si affectée à ce moment-là…

— Pourquoi a-t-elle voulu se suicider ?

— Sa relation avec son mari était très chaotique, et de toute façon, elle ne s'est jamais vraiment relevée des traumatismes de son enfance. Elle était venue chercher un réconfort moral auprès de moi, ce soir-là, et j'ai essayé de le lui prodiguer, en ami… rien de plus.

— J'ignorais qu'elle souffrait de dépression.

— Elle suit une psychothérapie depuis deux ans, et elle va beaucoup mieux. Surtout depuis qu'il y a un nouvel homme dans sa vie. Berni l'a énormément aidée.

— Berni !

— Oui, elle va quitter Brian pour s'installer avec lui.

— Et moi qui croyais que tu étais amoureux d'elle ! Que tu voulais ce rôle à Londres pour la suivre.

— Non, j'y tenais parce que c'était une formidable opportunité professionnelle pour moi. Je te l'avais dit.

— Oui… mais je pensais que c'était un prétexte.

— Sûrement pas. Maeva n'a jamais pesé d'aucun poids dans mes décisions… Et je suis furieux qu'elle ait pu te faire tant de mal ! Oser prétendre que je t'ai épousée parce que tu étais enceinte ! Je me suis marié avec toi, Kirsten, parce que je t'aimais, et elle le savait.

Kirsten fut bouleversée par de tels accents de sincérité.

— Peut-être suis-je simplement arrivée au mauvais moment. Le fait de te voir en train de serrer Maeva dans tes bras a été le coup de grâce. J'étais tellement malheureuse à l'époque. Je me sentais coupable au sujet de la mort de Melanie et aussi bête que cela paraisse, j'avais besoin de t'entendre me dire que tu m'aimais.

— Je te l'ai dit, Kirsten.

Elle secoua misérablement la tête, et des larmes commencèrent à rouler sur ses joues.

— Oui, avant la mort de Melanie… Mais après, Cal, tu n'as plus jamais prononcé ces mots.

Il l'attira dans ses bras et ce simple geste suffit à la faire fondre en larmes.

— Pardonne-moi, ma chérie… pardonne-moi, murmurait-il à son oreille. J'essayais de rester fort, digne… mais au fond de moi, j'étais hanté par un sentiment de culpabilité.

Ils demeurèrent longtemps ainsi enlacés. Kirsten ne bougeait pas — elle était apaisée par le réconfort inouï de cette étreinte. Et ce fut Cal qui s'écarta au bout d'un moment.

— Viens, allons sur le bateau.

Elle le suivit sur la passerelle pour grimper sur le pont et, de là, descendit avec lui dans le carré.

Cal alluma la lumière. Un élégant salon en boiseries et accessoires de cuivre créait une ambiance chaleureuse. Kirsten tomba immédiatement sous le charme.

— Il y a longtemps que tu possèdes ce voilier ?

— Six mois. Je l'ai acheté en Angleterre et j'ai l'ai étrenné en traversant l'Atlantique une fois le film terminé. Ça m'a fait le plus grand bien de me retrouver seul pendant quelque temps. C'était l'occasion de réfléchir, de faire des projets… En partant, je t'avais laissée en compagnie de Jason. Je voulais à tout prix trouver un moyen de te reconquérir — s'il n'était pas trop tard, bien sûr.

Cette remarque la fit sourire.

— Il n'y a jamais rien eu entre moi et Jason.

— Allons, Kirsten, ne me fais pas croire…

— Jason est homosexuel, Cal.

La stupeur de Cal lui procura une certaine satisfaction. Elle n'était donc pas la seule à n'avoir rien soupçonné…

— C'est l'un des secrets les mieux gardés d'Hollywood, n'est-ce pas ? ajouta-t-elle d'un ton léger. N'en dis rien à personne. Je ne crois pas que Jason tienne à ce que ça se sache.

— Bien sûr… Donc, il n'y a jamais eu aucune idylle entre vous ? murmura-t-il, encore sous le choc.

— Aucune. Nous sommes juste amis.

— J'aurais juré, pourtant…

— Moi aussi, j'aurais juré que toi et Maeva étiez amants !

Cal la fixa avec gravité.

— Tu me crois quand je te dis qu'il n'y a rien entre nous ?

— Je te crois, déclara-t-elle tout bas.

Il lui prit les mains.

— Je l'espère, parce que, du jour où je t'ai rencontrée, il n'y a plus eu de place pour une autre femme dans mon cœur. Je sais que j'ai mal géré la situation à la mort de Melanie…

— C'est valable aussi pour moi, Cal, murmura-t-elle. Nous avions tellement envie de ce bébé, tous les deux… C'est le chagrin qui nous aura aveuglés. Nous nous sommes rejetés mutuellement alors que nous aurions dû nous raccrocher l'un à l'autre. Rien ne semblait plus possible entre nous.

— Eh bien, je veux que tout recommence comme avant. Comme lorsque nous nous sommes rencontrés. Je t'aime tellement…

Elle se jeta à son cou.

— Je n'arrive pas à croire que tu dises cela… Il y a si longtemps que je rêve d'entendre ces mots, Cal. Moi aussi, je t'aime tant !

Dans un élan de passion, il s'empara de sa bouche, et tous deux furent emportés dans un tourbillon d'émotions où bonheur et désir s'entremêlaient.

— Répète-le moi, murmura enfin Cal, éperdu. Dis-moi encore que tu m'aimes… Je ne suis pas sûr d'avoir bien entendu.

— Je t'aime, Cal… Je n'ai jamais cessé de t'aimer, souffla-t-elle, entrecoupant ses mots de fervents baisers. Et je te veux de nouveau à moi. Je veux…

A cet instant, il la souleva si soudainement dans ses bras qu'elle ne termina pas sa phrase.

— Viens… Laisse-moi te faire l'amour, dit-il d'une voix sourde.

Sitôt dans la cabine, ils se déshabillèrent mutuellement avec une impatience fébrile, s'embrassant et se caressant en même temps.

Bien après seulement, alors qu'ils reposaient dans le grand lit, enlacés et repus d'amour, les pensées de Kirsten revinrent à leur conversation.

— Que vas-tu faire maintenant ? demanda-t-elle à Cal d'une voix languide.

— Reprendre quelques forces et te refaire l'amour.

Elle sourit.

— A vrai dire, je voulais parler de la société de production. Quelles sont tes intentions ?

— Pour commencer, j'abandonne le métier d'acteur.

— Ah bon ? Et pourquoi ?

— Cela n'a jamais été une réelle vocation pour moi. J'y suis venu un peu par hasard. J'ai décidé de me consacrer dorénavant à l'aspect production du métier. Au quotidien, ce sera plus confortable à vivre, je crois.

— Au fait, dit-elle, se relevant légèrement sur un coude, est-ce à toi que je dois d'avoir obtenu le rôle dans le film ?

— Pas du tout. La distribution était déjà décidée avant que je prenne les choses en main. C'est *mon* rôle que je me suis attribué.

— Et toute cette comédie que nous devions jouer pour les besoins de la promotion ?

— Oui, ma chérie ?

— Cette idée venait de toi ou du studio ?

— De moi… Malin, n'est-ce pas ? fit-il, après avoir déposé un baiser sur le bout de son nez.

— Mais alors, le matin où tu as débarqué à la maison pour m'annoncer que Theo était furieux que je n'aie pas pris l'avion pour San Francisco…

— Theo s'en moquait éperdument. Mais je n'allais pas laisser passer cette formidable occasion de t'accompagner pendant le voyage. Je confesse que j'ai aussi téléphoné à tes parents pour m'assurer de leur soutien…

Elle feignit d'être outrée et se releva brusquement.

— Quel toupet ! Cal McCormick, je ne sais si j'ai plus envie de t'embrasser ou de t'étrangler !

— Pourquoi ne m'épouses-tu pas, plutôt ? répliqua-t-il avec une soudaine gravité, se redressant lui aussi pour être à sa hauteur.

— Tu es sérieux ?

— Bien sûr ! Partons tous les deux quelque part, en bateau si ça te chante, et marions-nous. Pourquoi pas dans une îles des Caraïbes, ou…

— Cal, c'est impossible.

— Ah, bon ? fit-il, la voix changée. Puis-je savoir pourquoi ?

Elle ne put réprimer un sourire.

— Parce que tu avais promis à ta tante de l'inviter au mariage… et parce qu'il me faut un minimum de temps pour me préparer et pour…

La suite de sa phrase se mua en petits cris étouffés, Cal ayant fondu sur elle pour la clouer sur le lit.

— Répète après moi : oui, Cal, je t'épouserai et nous vivrons heureux ensemble pendant très, très longtemps.

— Oui, Cal, je t'épouserai… et…

Le suite se perdit cette fois dans le baiser qu'il captura sur ses lèvres avant que la magie d'une nouvelle étreinte ne les ravisse.

Épilogue

Kirsten ouvrit les yeux. Le matin était déjà là. Elle se sentait un peu désorientée — pas vraiment réveillée mais déjà sortie de ses rêves. Elle tâtonna de l'autre côté du lit : Cal n'y était plus.

Les pleurs d'un bébé percèrent le silence ; Kirsten se leva paresseusement et enfila son peignoir.

La petite chambre d'enfant de l'autre côté du corridor semblait inondée de soleil avec ses murs tapissés de jaune. Dès qu'elle vit sa mère, la petite Carol, maintenant âgée de quatre mois, cessa de pleurer et toute sa jolie frimousse s'éclaira de joie.

— Tu en fais du bruit pour un si petit bébé, murmura tendrement sa maman en la prenant dans ses bras.

La porte s'ouvrit derrière elle et Cal entra, un sourire aux lèvres.

— Que signifie tout ce tapage ?

— Elle doit se douter qu'aujourd'hui n'est pas un jour comme les autres… N'est-ce pas, ma chérie ? ajouta Kirsten à l'adresse de sa fille. Tu sais bien que c'est le jour de ton baptême, mademoiselle Caroline Leslie McCormick !

— Ça sonne bien, tu ne trouves pas ? remarqua Cal, avant d'effleurer d'un baiser le fin duvet sur la tête du bébé.

— Très bien ! Au fait, bon anniversaire ! dit Kirsten à son mari avec un sourire.

— Bon anniversaire à toi !

Il embrassa Kirsten, et pendant un moment, tous trois restèrent unis dans la chaleur affectueuse d'une même étreinte.

— Qui croirait qu'il y a déjà deux ans que nous nous sommes remariés ?

— Deux années qui sont les plus belles de ma vie, murmura Kirsten, tout émue. Merci, Cal.

COLLECTION

Coup de folie

Quand l'humour fait pétiller l'amour

1 roman par mois, le 15 de chaque mois

Dès le 15 juillet, un nouveau
Coup de Folie vous attend

Tête-à-tête amoureux, par Jennifer Drews - n° 13

Kim n'a qu'une idée en tête : gagner au plus vite Phoenix, où sa sœur l'attend. Oui, mais voilà, quand le destin s'en mêle, un simple voyage peut devenir une véritable épopée ! Et pour Kim, les ennuis commencent à l'aéroport, quand sa valise remplie de sous-vêtements a la très mauvaise idée de répandre son contenu sur le sol... C'est précisément à ce moment-là qu'elle rencontre Rick, un séduisant voyageur qui, bon gré, mal gré, devient son nouveau compagnon de voyage... et de fortune !

Le nouveau visage
de la collection Or

◆

AMOURS D'AUJOURD'HUI

Afin de mieux exprimer sa modernité et de vous séduire encore davantage, votre collection Or a changé de couverture et de nom depuis le 1er mars 1995.

Rassurez-vous, les romans, eux, ne changent pas, et vous pourrez retrouver dans la collection **Amours d'Aujourd'hui** tous vos auteurs préférés.

Comme chaque mois, en effet, vous y attendent des héros d'aujourd'hui, aux prises avec des passions fortes et des situations difficiles...

COLLECTION
AMOURS D'AUJOURD'HUI :
Quand l'amour guérit des blessures de la vie...

Chère lectrice,

Vous nous êtes fidèle depuis longtemps?
Vous venez de faire notre connaissance?

C'est pour votre plaisir que nous avons
imaginé un rendez-vous chaque mois
avec vos auteurs préférés, vos
AUTEURS VEDETTE dans les
collections Azur et Horizon.

Les **AUTEURS VEDETTE** vous
donneront rendez-vous pour de
nouveaux livres vedette.

Pour les reconnaître, cherchez
l'étoile... Elle vous guidera!

Éditions Harlequin

HARLEQUIN

LE FORUM DES LECTEURS ET LECTRICES

CHERS(ES) LECTEURS ET LECTRICES,

VOUS NOUS ETES FIDÈLES DEPUIS LONGTEMPS?

VOUS VENEZ DE FAIRE NOTRE CONNAISSANCE?

SI VOUS AVEZ DES COMMENTAIRES, DES CRITIQUES À FORMULER, DES SUGGESTIONS À OFFRIR, N'HÉSITEZ PAS... ÉCRIVEZ-NOUS À:

> LES ENTERPRISES HARLEQUIN LTÉE.
> 498 RUE ODILE
> FABREVILLE, LAVAL, QUÉBEC.
> H7R 5X1

C'EST AVEC VOS PRÉCIEUX COMMENTAIRES QUE NOUS ALLONS POUVOIR MIEUX VOUS SERVIR.

DE PLUS, SI VOUS DÉSIREZ RECEVOIR UNE OU PLUSIEURS DE VOS SÉRIES HARLEQUIN PRÉFÉRÉE(S) À VOTRE DOMICILE, NE TARDEZ PAS À CONTACTER LE SERVICE D'ABONNEMENT; EN APPELANT AU (514) 875-4444 (RÉGION DE MONTRÉAL) OU 1-800-667-4444 (EXTÉRIEUR DE MONTRÉAL) OU TÉLÉCOPIEUR (514) 523-4444 OU COURRIER ELECTRONIQUE: AQCOURRIER@ABONNEMENT.QC.CA OU EN ÉCRIVANT À:

> ABONNEMENT QUÉBEC
> 525 RUE LOUIS-PASTEUR
> BOUCHERVILLE, QUÉBEC
> J4B 8E7

MERCI, À L'AVANCE, DE VOTRE COOPÉRATION.

BONNE LECTURE.

HARLEQUIN.

VOTRE PASSEPORT POUR LE MONDE DE L'AMOUR.

ROUGE PASSION

De fiévreuses histoires d'amour sensuelles!

De provocantes histoires d'amour passionnées et romantiques qu'on lit d'une seule traite. Aventureuses, parfois humoristiques, et sensuelles, elles mettent en vedette des hommes et des femmes d'aujourd'hui.

ROUGE PASSION...quatre nouveaux titres chaque mois.

GEN-RP

COLLECTION
HORIZON

Des histoires d'amour romantiques qui
vous mènent au bout du monde!

Découvrez la passion et les vives
émotions qu'apportent à la Collection
Horizon des auteurs de renommée
internationale!

Captivantes, voire irrésistibles, ces
histoires d'amour vous iront
assurément droit au coeur.

Surveillez nos quatre nouveaux titres
chaque mois!

GEN-H

HARLEQUIN

En août, on vous tente avec un livre SUPER PASSION de la série Rouge Passion.

Les livres SUPER PASSION sont un peu plus sensuels et excitants, mais toujours l'amour triomphe des contraintes, de dilemmes et vient réchauffer votre coeur comme une caresse.

Une histoire SUPER PASSION chaque mois, disponible là où les romans Harlequin sont en vente !

RP-SUPER

69 L'ASTROLOGIE EN DIRECT
TOUT AU LONG
DE L'ANNÉE.

(France métropolitaine uniquement)
Par téléphone 08.36.68.41.01
0,34 € la minute (Serveur SCESI).

Composé et édité
PAR LES ÉDITIONS HARLEQUIN
Achevé d'imprimer en juin 2003

BUSSIÈRE
GROUPE CPI

à Saint-Amand-Montrond (Cher)
Dépôt légal : juillet 2003
N° d'imprimeur : 33118 — N° d'éditeur : 9959

Imprimé en France